이투스북

Word master 초등

BASIC

주제별 초등 필수 300단어
+ 사이트워드 100단어

교과서 예문 및
회화 필수 문장 수록

마스터 시리즈
900만
빈출어휘 1위

언제 어디서나 Word master!

온&오프 듀얼
영단어 학습 시스템

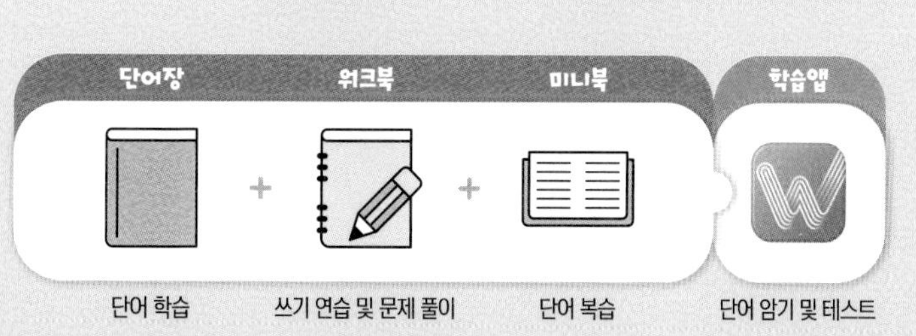

언제 어디서나 Word master!

온&오프 듀얼 영단어 학습 시스템

START

하나, 단어장으로 영단어와 뜻을 외우기!

영단어와 뜻이 한눈에 보이도록 구성했어요.
군더더기 없는 구성으로 빠르게 학습하고,
잊어버릴 때마다 책을 펼쳐서 확인하기 좋답니다.
단어의 발음도 들으며 정확한 발음을 익혀 보세요.

둘, 워크북으로 다양한 활동하기!

단어장의 영단어를 외웠으면 워크북으로 연습해 봐요.
단어 쓰기 연습을 하며 자연스럽게 철자를 익히고,
단어장에서 배운 교과서 예문, 회화 필수 문장으로 영작 연습을 해보고,
사다리 게임, 길 찾기 게임 등 재미있는 문제도 풀어요.
다양하고 재미있는 활동으로 단어를 반복하다 보면
어느 새 모든 단어를 master할 수 있을 거예요.

셋, 미니북으로 복습하기!

단어장과 워크북으로 단어 학습을 완료했나요?
귀여운 미니북으로 잊은 단어가 없는지 점검해 보세요.
단어장과 워크북 학습 1주일 후에 다시 한 번 미니북으로 꼭 점검하는
과정을 거치도록 해요. 이 과정을 통해 잊었던 단어를 확인하며
더 오래 기억할 수 있답니다!

영단어는 반복해서 공부하는 것이 가장 중요해요. 우리의 뇌가 영단어를 한 번 외웠다고 해서 장기 기억으로 저장하지는 않기 때문이에요. 하지만 같은 단어를 계속 반복하여 외우는 것은 정말 지루하죠? 특히 어린 학생들일수록 반복은 더 힘들답니다. 그래서 어린 학생들에게는 재미있고 다양한 방법의 반복이 꼭 필요해요.
워드마스터는 재미있고 다양한 방법을 통해 단어를 반복 학습하도록 했어요. 책과 학습앱으로 단어를 학습하다 보면 어느 새 단어를 완벽하게 익힐 수 있어요!

FINISH

넷, 워드마스터 학습앱으로 언제 어디서나 단어를 외우고 테스트하기!

워드마스터는 책이 없어도 단어 학습, 테스트가 가능해요!
학습앱으로 단어를 외우고, 외운 단어를 테스트하고, 틀린 단어만 저장해서 볼 수도 있어요.
똑똑한 학습앱, 지금 바로 이용할 수 있어요.

Step. 1 아래 QR로 앱을 설치하고, 회원가입을 하세요.

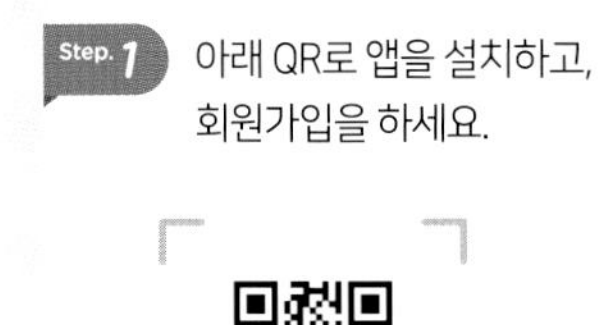

Step. 2 [마이룸]에서 아래의 코드를 입력하세요.

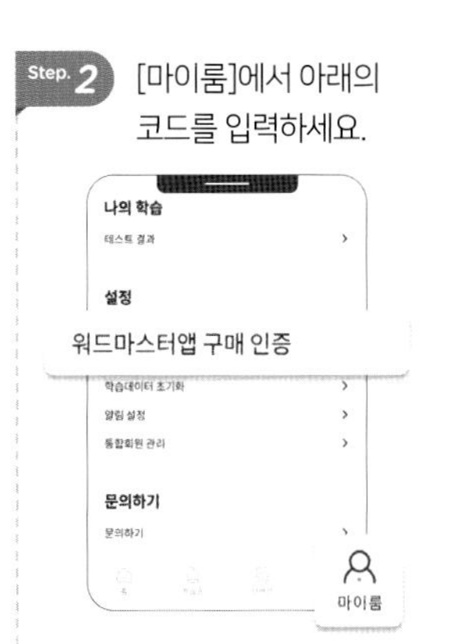

Step. 3 [학습관]에서 도서를 선택하여 학습하세요.

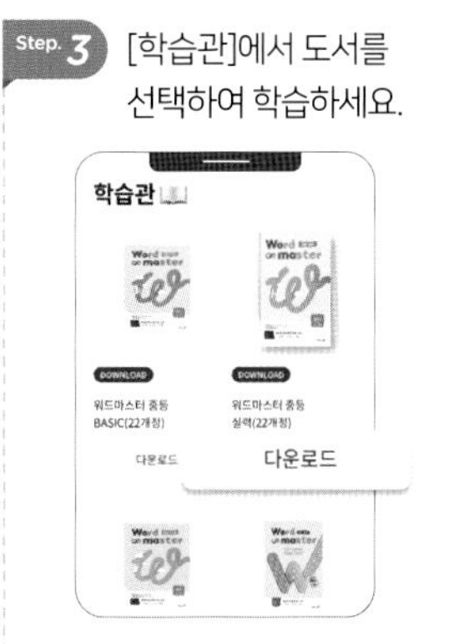

하루 한 번, 챈트로 따라하며 저절로 외우는 사이트워드

SIGHT WORD 100

yes 응	no 아니	a 하나의	an 하나의	so 그렇게, 너무	I 나는
you 너는, 너를	all 모든	hi 안녕(만났을 때)	for ~을 위해	but 그러나	the 그
am ~이다	it 그것	by ~ 옆에	on ~ 위에	at ~에	Mr. ~ 씨 (남자)
Ms. ~ 씨 (여자)	to ~로	not ~ 아니다	too 너무, ~ 또한	are ~이다	is ~이다

out 밖으로	from ~로부터	bye 안녕(헤어질 때)	off 떨어져서	with ~와 함께	and ~와, 그리고
he 그는	she 그녀는	this 이것	that 저것	in ~에, ~ 안에	both 둘 다
little 작은	every 모든	did 했다	can ~할 수 있다	if 만약 ~면	my 나의
what 무엇	who 누구	why 왜	we 우리는	they 그들은	as ~처럼

독해에 필수적인 사이트워드 100개를 모았어요.
챈트를 부르며 익혀 보세요.

after	his	any	else	let	may
~ 후에	그의	어떤	또 다른	~하게 하다	~일지도 모른다
must	**say**	**now**	**be**	**me**	**when**
~해야 한다	말하다	지금	~이다	나를	언제
our	**will**	**can't**	**also**	**best**	**away**
우리의	~일 것이다	~할 수 없다	또한	최고의, 가장	떨어져
nice	**just**	**him**	**each**	**into**	**her**
좋은	바로, 딱	그를	각각	~ 안으로	그녀의, 그녀를

us	their	was	your	over	them
우리를	그들의	~이었다	너의	~ 위에, 끝난	그들을
again	**how**	**could**	**about**	**under**	**here**
다시, 또	어떻게	~할 수 있었다	~에 관하여	~ 아래에	여기에
there	**above**	**across**	**hello**	**good**	**where**
거기에	~ 위에	~을 가로질러	안녕 (만났을 때)	좋은	어디에
okay	**without**	**don't**	**doesn't**	**abroad**	**sorry**
좋아	~ 없이	~하지 않다	~하지 않다	해외에	미안해
which	**please**	**because**	**welcome**		
어느, 어떤	제발(정중하게 말할 때)	~ 때문에	환영하다		

학습 계획표

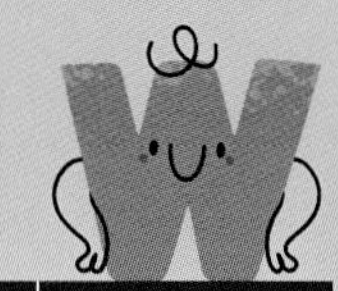

DAY	단어장 / 워크북 학습 날짜	성취도	미니북 복습 날짜	학습앱 활용
DAY 01	월 일		월 일	YES / NO
DAY 02	월 일		월 일	YES / NO
DAY 03	월 일		월 일	YES / NO
DAY 04	월 일		월 일	YES / NO
DAY 05	월 일		월 일	YES / NO
DAY 06	월 일		월 일	YES / NO
DAY 07	월 일		월 일	YES / NO
DAY 08	월 일		월 일	YES / NO
DAY 09	월 일		월 일	YES / NO
DAY 10	월 일		월 일	YES / NO
DAY 11	월 일		월 일	YES / NO
DAY 12	월 일		월 일	YES / NO
DAY 13	월 일		월 일	YES / NO
DAY 14	월 일		월 일	YES / NO
DAY 15	월 일		월 일	YES / NO
DAY 16	월 일		월 일	YES / NO
DAY 17	월 일		월 일	YES / NO
DAY 18	월 일		월 일	YES / NO
DAY 19	월 일		월 일	YES / NO
DAY 20	월 일		월 일	YES / NO
DAY 21	월 일		월 일	YES / NO
DAY 22	월 일		월 일	YES / NO
DAY 23	월 일		월 일	YES / NO
DAY 24	월 일		월 일	YES / NO
DAY 25	월 일		월 일	YES / NO
DAY 26	월 일		월 일	YES / NO
DAY 27	월 일		월 일	YES / NO
DAY 28	월 일		월 일	YES / NO
DAY 29	월 일		월 일	YES / NO
DAY 30	월 일		월 일	YES / NO

Word 초등 master

BASIC

WRITERS

박영미 신성원 이윤정 홍미정

STAFF

발행인 정선욱
퍼블리싱 총괄 남형주
개발 김태원 김한길 박하영
기획 · 디자인 · 마케팅 조비호 김정인 차혜린
유통 · 제작 서준성 신성철

워드마스터 초등 BASIC 202211 초판 1쇄 202411 초판 6쇄
펴낸곳 이투스에듀㈜ 서울시 서초구 남부순환로 2547
고객센터 1599-3225
등록번호 제2007-000035호
ISBN 979-11-389-1098-9 [63740]

초등 영단어는 Word ∞ master
워드마스터 초등

꼭 외워야 할 단어만 뽑았어요

'주요 초등 교과서'와 '개정교육과정 필수 단어', '회화 필수 단어'를 분석하여
초등 필수 900단어 및 사이트워드 100단어를 뽑았어요.
<워드마스터 초등 BASIC>과 <워드마스터 초등 COMPLETE>으로
초등 필수 1,000단어를 완성할 수 있어요.

재미있게 반복할 수 있어요

단어장으로 단어를 외웠나요?
워크북으로 쓰기 연습과 문제 풀이도 했고요?
미니북으로 다시 한 번 복습해 봐요.
재미있고 자연스러운 반복으로 단어를 오래 기억할 수 있어요.

언제 어디서나 학습앱을 이용할 수 있어요

책을 늘 가지고 다니는 건 아니죠?
언제 어디서나 워드마스터 학습앱에 접속,
잊은 단어는 없는지 확인하고 테스트해 봐요.

워드마스터 초등으로,

초등 필수 단어를
꼼꼼하게 마스터할 수 있어요!

구성 및 특장점

단어장 이렇게 구성되어 있어요

SIGHT WORD

독해에 꼭 필요한 사이트워드를 챈트와 함께 익혀 보세요. 하루에 한 번, 챈트로 즐겁게 따라하다 보면 초등 필수 사이트워드를 완벽하게 마스터할 수 있어요.

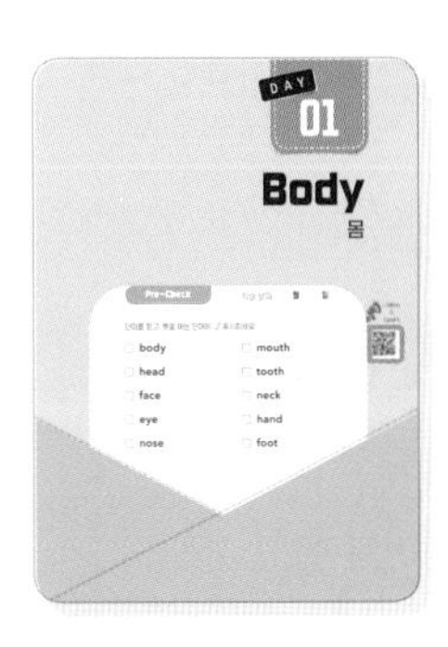

Pre-Check

DAY별로 일상생활과 관련된 익숙한 소주제로 구성했어요.

첫 페이지에서는 Pre-Check를 통해 단어를 듣고 뜻을 아는 단어가 있는지 확인해 봐요.

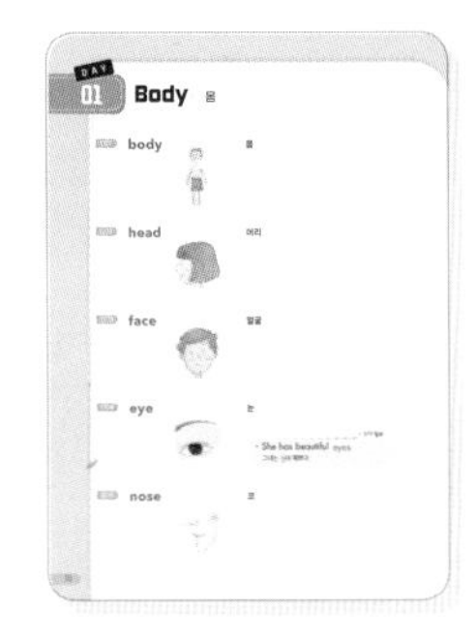

단어 학습

주제별 필수 단어를 핵심 의미 중심으로 수록했어요.
영단어를 보면서 이미지를 통해 우리말 뜻을 연상해보고, 연상한 뜻이 맞는지 확인하면서 영단어를 꼼꼼하게 학습할 수 있어요.

교과서에 나오는 주요 문장이나 회화 필수 문장도 빠짐없이 익혀 봐요.

재미있는 영어 이야기

단어와 관련된 재미있는 이야기를 읽으며 영어 단어 및 문화에 대한 이해를 높일 수 있어요.

After-Check

단어 학습 후 간단한 테스트를 통해 단어를 제대로 공부했는지 확인해 볼 수 있어요.

워크북 이렇게 구성되어 있어요

STEP 1 단어 쓰기

DAY별로 모든 단어를 쓰면서 연습할 수 있도록 영어 노트에 단어를 제시했어요. 단어 쓰기 연습을 하면서 자연스럽게 철자를 익힐 수 있어요.

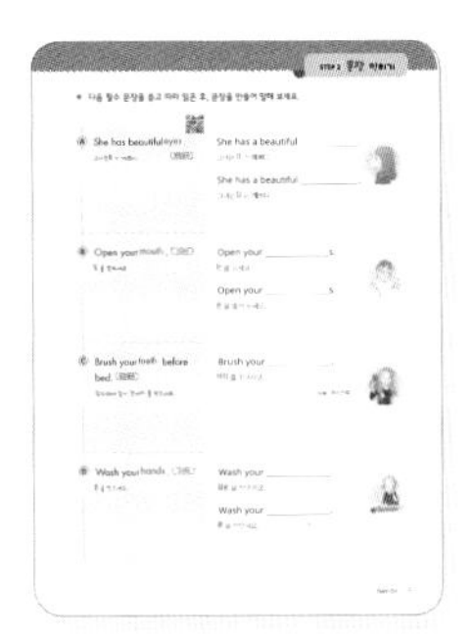

STEP 2 문장 익히기

단어장에 수록된 교과서 문장과 회화 필수 문장을 활용하여 문장 만들기 연습을 할 수 있어요. 단어를 바꾸며 새로운 문장을 만들다 보면 영어 말하기에도 익숙해질 수 있어요.

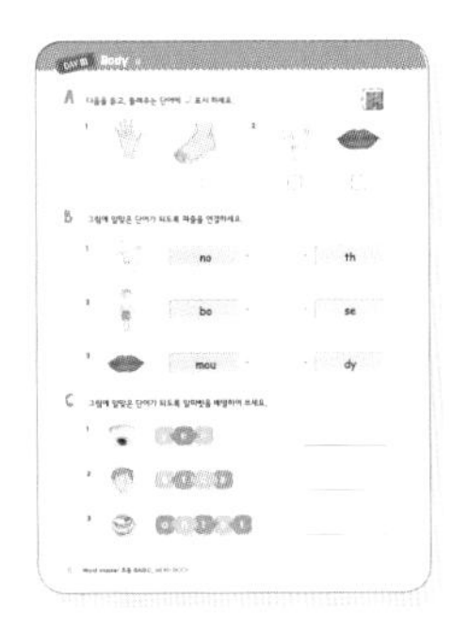

STEP 3 문제 풀기

단어 듣고 고르기, 사다리 게임, 퍼즐 게임 등 다양하고 재미있는 문제를 풀며 영단어를 완벽하게 익힐 수 있어요.

미니북과 학습앱 활용해 봐요

미니북

단어장/워크북 학습 후 약 일주일 뒤, 미니북으로 복습하는 것이 좋아요. 잊어버린 단어가 없는지 확인하며 QR로 발음도 듣다 보면 잊은 단어도 다시 완벽하게 복습할 수 있어요.

학습앱

탭이나 휴대폰만 있으면 언제 어디서나 단어 학습, 복습, 테스트가 가능해요. 책이 없어도 언제나 단어를 가까이 할 수 있어요!

차례

I, Myself

People Around Me

Things Around Me

Places Around Me

Nature Around Me

Study More Words

Word 초등
∞ master
BASIC

Body
몸

Pre-Check

학습 날짜 월 일

단어를 듣고, 뜻을 아는 단어에 ✓ 표시하세요.

- ☐ body
- ☐ head
- ☐ face
- ☐ eye
- ☐ nose
- ☐ mouth
- ☐ tooth
- ☐ neck
- ☐ hand
- ☐ foot

Body 몸

001 **body** 몸

002 **head** 머리

003 **face** 얼굴

004 **eye** 눈

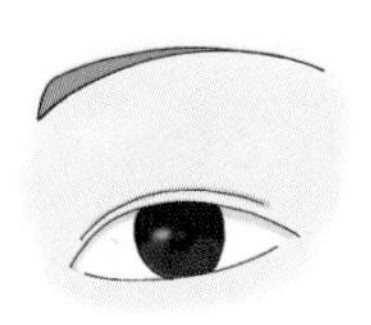

회화 필수

- She has beautiful eyes.
  그녀는 눈이 예쁘다.

005 **nose** 코

Listen & Check
1 2 3 4

006 **mouth** **입**

교과서
• Open your mouth.
입을 벌리세요.

007 **tooth** **이, 이빨**

⊕ tooth: (한 개의) 이 teeth: (두 개 이상의) 이

회화 필수
• Brush your teeth before bed.
잠자리에 들기 전에 이를 닦으세요.

008 **neck** **목**

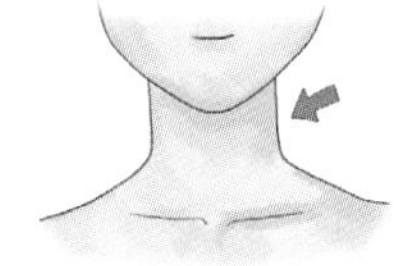

009 **hand** **손**

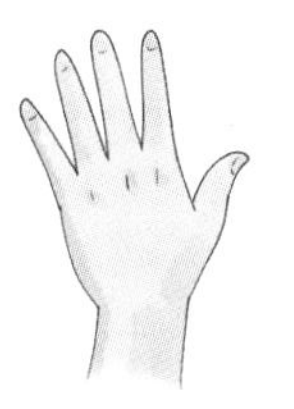

교과서
• Wash your hands.
손을 씻으세요.

010 **foot** **발**

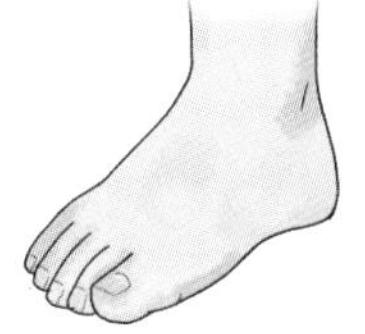

⊕ foot: (한) 발
feet: (두) 발

mouth 여러분은 'big mouth'인가요?

여러분의 입은 큰가요, 작은가요?

사진 속의 큰 입을 가진 여성을 영어로 표현하면 She has a big mouth.라고 할 수 있겠죠. 반대로 입이 작다면 She has a small mouth.라고 표현할 수 있어요.

하지만 한 가지 알아 두어야 할 것이 있는데요! big mouth는 단순히 '큰 입'이라는 뜻 외에 '수다쟁이'나 '남의 이야기 하는 것을 좋아하는 입이 가벼운 사람'이라는 뜻도 있어요.

친구들의 비밀을 떠벌리거나 허풍을 떠는 'big mouth'는 되지 않기로 해요!

After-Check 다음 영단어의 우리말 뜻을 쓰시오. | 정답 130쪽 |

1 hand ____________ 6 foot ____________

2 mouth ____________ 7 nose ____________

3 body ____________ 8 head ____________

4 face ____________ 9 eye ____________

5 neck ____________ 10 tooth ____________

Senses & Feelings 감각과 감정

Pre-Check 학습 날짜 월 일

단어를 듣고, 뜻을 아는 단어에 ✓ 표시하세요.

- ☐ see
- ☐ listen
- ☐ smell
- ☐ taste
- ☐ touch
- ☐ feel
- ☐ sad
- ☐ happy
- ☐ angry
- ☐ proud

DAY 02

Senses & Feelings 감각과 감정

011 **see** 보다

012 **listen** 듣다

013 **smell** ~한 냄새가 나다

회화 필수

- It smells good.
  좋은 냄새가 난다.

014 **taste** 맛이 ~하다

015 **touch** 만지다

교과서

- Don't touch.
  만지지 마.

Listen & Check

1 2 3 4

016 **feel** 느끼다

017 **sad** 슬픈

교과서

- I am sad.
  나는 슬퍼.

018 **happy** 행복한

019 **angry** 화난

교과서

- Are you angry?
  너 화났니?

020 **proud** 자랑스러운

happy　Happy Birthday to You ~

Happy birthday to you

Happy birthday to you

Happy birthday, dear OOO

Happy birthday to you

전 세계적으로 생일이면 누구나 부르는 생일 축하 노래는 어떻게 탄생했을까요?

원곡은 1893년에 Mildred Hill과 Patty Hill이 작곡한 〈Good Morning to All〉이라고 해요.

유치원 교사였던 두 사람이 아이들을 위해 만들었던 노래였지요. 원곡의 가사를 한번 볼까요?

Good morning to you

Good morning to you

Good morning, dear children

Good morning to all

이 노래를 들으면서 등원하는 아이들은 무척 행복했을 것 같아요.

After-Check

다음 영단어의 우리말 뜻을 쓰시오.

| 정답 130쪽 |

1 happy ____________　　6 angry ____________

2 touch ____________　　7 smell ____________

3 see ____________　　8 feel ____________

4 proud ____________　　9 taste ____________

5 listen ____________　　10 sad ____________

Personality
성격

Pre-Check 학습 날짜 월 일

단어를 듣고, 뜻을 아는 단어에 ✓ 표시하세요.

- ☐ kind
- ☐ shy
- ☐ funny
- ☐ clever
- ☐ brave
- ☐ lazy
- ☐ wise
- ☐ honest
- ☐ rude
- ☐ polite

DAY 03

Personality 성격

021 **kind** 친절한

교과서
- You're so kind.
  너는 정말 친절하다.

022 **shy** 수줍어하는

023 **funny** 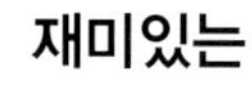 재미있는

024 **clever** 영리한, 똑똑한

025 **brave** 용감한

Listen & Check

1 2 3 4

026 **lazy** 게으른

교과서

• My brother is lazy.

내 남동생은 게으르다.

027 **wise** 지혜로운, 현명한

028 **honest** 정직한

교과서

• She is honest.

그녀는 정직하다.

029 **rude** 예의 없는, 버릇없는

030 **polite** 예의 바른, 공손한

clever? wise? 여우처럼 영리하거나 올빼미처럼 현명하거나

clever와 wise는 우리말로는 비슷한 의미를 나타내는 것 같지만 느낌이 조금 달라요!

=

The kid is as clever as a fox.

clever는 '영리하고 똑똑한' 아이들을 설명할 때 자주 쓰인답니다. 하지만 성인에게 쓰면 조금 부정적인 의미를 나타낼 수도 있어요.

반면에 wise는 주로 나이가 들어감에 따라 '지혜로운' 어른들에게 쓰이는 표현이에요.

=

My grandfather is as wise as an owl.

어때요?

표현에 함께 쓰이는 동물을 보니 두 단어의 느낌 차이를 잘 알겠죠?

After-Check 다음 영단어의 우리말 뜻을 쓰시오. | 정답 130쪽 |

1 clever ____________　　6 wise ____________

2 polite ____________　　7 kind ____________

3 lazy ____________　　8 rude ____________

4 funny ____________　　9 brave ____________

5 shy ____________　　10 honest ____________

Daily Life
일상생활

Pre-Check 학습 날짜 월 일

단어를 듣고, 뜻을 아는 단어에 ✓ 표시하세요.

- [ ] sleep
- [ ] wake up
- [ ] wash
- [ ] eat
- [ ] go
- [ ] come
- [ ] play
- [ ] talk
- [ ] sit
- [ ] stand

Daily Life 일상생활

031 **sleep** (잠을) **자다**

032 **wake up** (잠에서) **깨다**

033 **wash** **씻다**

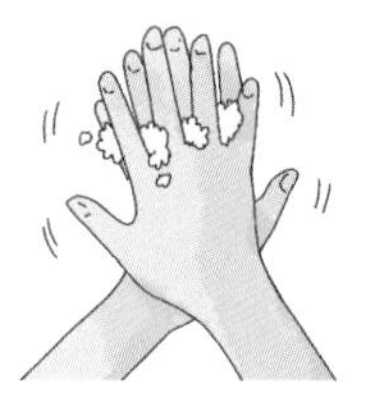

034 **eat** **먹다**

교과서

- Don't eat here.
  여기서 먹지 마세요.

035 **go** **가다**

Listen & Check

1 2 3 4

036 **come** 오다

교과서

• Come here.
여기로 오세요.

037 **play** 1 **놀다** 2 (게임, 운동 등을) **하다** 3 (악기를) **연주하다**

교과서

• Let's play outside.
밖에서 놀자.

038 **talk** 말하다

039 **sit** 앉다

교과서

• Sit down, please.
앉아 주세요.

040 **stand** 서다

교과서

• Stand up, please.
일어나 주세요.

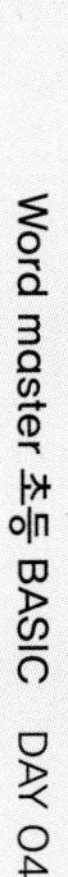

play　play는 팔방미인

play는 '놀다'라는 뜻 외에도 '게임이나 운동 경기를 하다' 또는 '악기를 연주하다'는 뜻으로 쓰여요.

Play a board game

Play soccer

Play baseball

이렇게 play 뒤에 게임이나 운동 경기를 넣어서 말하면 돼요. 마찬가지로 play 뒤에 악기 이름을 넣으면 '~을 연주하다'는 의미를 표현할 수 있어요.

Play the piano

Play the violin

Play the guitar

놀고, 게임이나 운동 경기를 하고, 악기를 연주하고! play는 팔방미인이네요!

After-Check　다음 영단어의 우리말 뜻을 쓰시오.　| 정답 130쪽 |

1	sit ________	6	stand ________
2	wash ________	7	talk ________
3	come ________	8	sleep ________
4	eat ________	9	go ________
5	play ________	10	wake up ________

Health
건강

Pre-Check

학습 날짜 월 일

단어를 듣고, 뜻을 아는 단어에 ✓ 표시하세요.

- ☐ weak
- ☐ strong
- ☐ sick
- ☐ healthy
- ☐ tired
- ☐ illness
- ☐ pain
- ☐ cough
- ☐ pill
- ☐ hospital

DAY 05

Health 건강

041 **weak** 약한, 힘이 없는

042 **strong** 튼튼한, 힘센

교과서
- How strong!
  정말 힘이 세구나!

043 **sick** 아픈

교과서
- My sister is sick.
  나의 언니가 아파.

044 **healthy** 건강한

045 **tired** 피곤한

교과서
- I am tired.
  나는 피곤해.

Listen & Check
1 2 3 4

046 **illness** 병

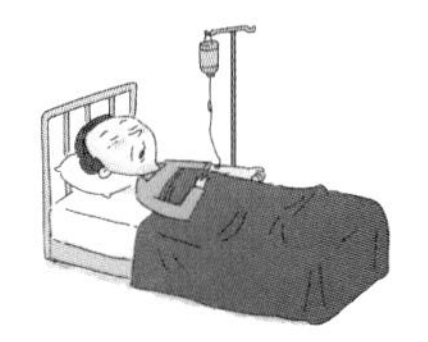

047 **pain** 아픔, 고통

048 **cough** 기침하다

049 **pill** 알약

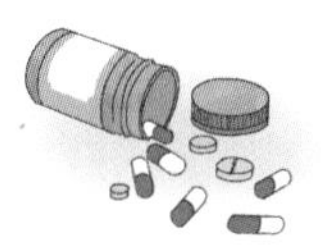

050 **hospital** 병원

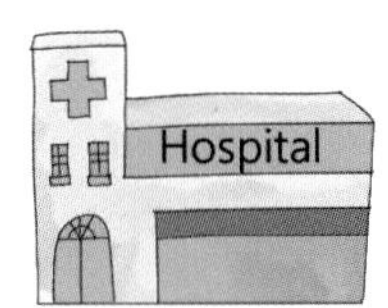

sick 　'멀미 나요'를 영어로 어떻게 표현할까요?

차를 타면 속이 울렁거리고 불편한 경험을 해본 적 있나요?

메스껍고 토할 것 같을 때도 sick이라는 단어를 써서 "I feel sick."이라고 말할 수 있어요.

멀미 나는 장소를 sick 앞에 붙여서 다양하게 표현할 수도 있답니다.

멀미가 심하다면 차, 배, 비행기를 타기 전에 멀미약(sickness pill)을 챙겨먹도록 하세요!

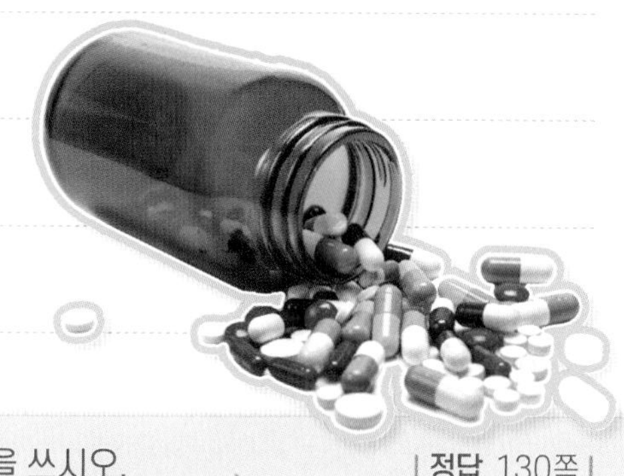

After-Check

다음 영단어의 우리말 뜻을 쓰시오. | 정답 130쪽 |

1 pill ______________ 　6 strong ______________

2 weak ______________ 　7 sick ______________

3 tired ______________ 　8 cough ______________

4 pain ______________ 　9 healthy ______________

5 hospital ______________ 　10 illness ______________

Family
가족

Pre-Check 학습 날짜 월 일

단어를 듣고, 뜻을 아는 단어에 ✓ 표시하세요.

- ☐ father
- ☐ mother
- ☐ grandfather
- ☐ grandmother
- ☐ brother
- ☐ sister
- ☐ son
- ☐ daughter
- ☐ uncle
- ☐ aunt

DAY 06

Family 가족

051 **father** (= dad)

아버지 (= 아빠)

교과서

- This is my father.
  이분은 나의 아버지셔.

052 **mother** (= mom)

어머니 (= 엄마)

053 **grandfather**

할아버지

교과서

- He's my grandfather.
  그분은 나의 할아버지셔.

054 **grandmother**

할머니

055 **brother**

형, 오빠, 남동생

056 **sister** 언니, 누나, 여동생

교과서

• She's my sister.
그녀는 나의 여동생이야.

057 **son** 아들

058 **daughter** 딸

059 **uncle** (외)삼촌, 고모부, 이모부

교과서

• He is my uncle.
그분은 나의 삼촌이셔.

060 **aunt** 고모, 이모, (외)숙모

sister 여동생 = 누나?

영어에서는 '누나'도 sister, '언니'도 sister, '여동생'도 sister라고 말한답니다. 우리말에서는 '누나, 언니, 여동생'이 모두 다른 뜻이기 때문에 이해가 되지 않죠?

여동생 = 누나 ?

예를 들어 볼까요?

영어권에서는 누군가 "I have a sister."라고 말하면 '여자 형제가 한 명 있구나.'라고 생각하는 거예요. '그래? 누나야, 여동생이야?'라고 구분하는 경우는 드물어요. 우리는 누나인지 여동생인지 구분해서 말할 수밖에 없는데 우리말과 정말 다르네요.

마찬가지로 '형, 오빠, 남동생'은 모두 brother로, '이모, 숙모, 고모'는 모두 aunt로, '삼촌, 이모부, 고모부'는 모두 uncle로 말하는 것도 기억해 두기로 해요!

After-Check 다음 영단어의 우리말 뜻을 쓰시오. | 정답 131쪽 |

1 sister	______	6 father	______
2 uncle	______	7 son	______
3 mother	______	8 aunt	______
4 brother	______	9 grandfather	______
5 grandmother	______	10 daughter	______

People
사람들

Pre-Check 학습 날짜 월 일

단어를 듣고, 뜻을 아는 단어에 ✓ 표시하세요.

- ☐ baby
- ☐ kid
- ☐ boy
- ☐ girl
- ☐ friend
- ☐ man
- ☐ woman
- ☐ couple
- ☐ meet
- ☐ help

DAY 07

People 사람들

061 **baby** 아기

회화 필수

- Look at the cute baby.
  귀여운 아기를 봐.

062 **kid** 아이

063 **boy** 소년, 남자아이

064 **girl** 소녀, 여자아이

065 **friend** 친구

교과서

- This is my friend, Jina.
  이 애는 내 친구 지나야.

Listen & Check
1 2 3 4

066 **man** 남자

067 **woman** 여자

068 **couple** 1 부부, 남녀
2 두 개, 두 사람

069 **meet** 만나다

교과서
- Nice to meet you.
너를 만나서 반가워.

070 **help** 돕다

교과서
- Can you help me?
나를 도와줄 수 있니?

friend 학교 친구, 여자친구, 남자친구...

친구도 여러 친구가 있죠? 학교 친구, 남자친구, 여자친구 ...

이런 표현들을 영어로 하려면 우리말처럼 '친구'라는 뜻의 friend 앞에 학교, 남자, 여자 등의 말을 쓰면 된답니다!

school + friend = school friend (학교 친구)

boy + friend = boyfriend (남자친구)

girl + friend = girlfriend (여자친구)

우리말과 같은 방식이라 어렵지 않죠? 그렇다면 새로운(new) 친구, 오랜(old) 친구는 어떻게 말하는지 볼까요? 벌써 답을 알겠다고요? 맞아요!

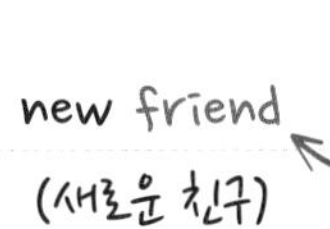

old friend (오랜 친구)

After-Check 다음 영단어의 우리말 뜻을 쓰시오. | 정답 131쪽 |

1 woman ____________ 6 girl ____________

2 help ____________ 7 meet ____________

3 baby ____________ 8 kid ____________

4 friend ____________ 9 man ____________

5 boy ____________ 10 couple ____________

Jobs
직업

Pre-Check 학습 날짜 월 일

단어를 듣고, 뜻을 아는 단어에 ✓ 표시하세요.

- ☐ future
- ☐ dream
- ☐ teacher
- ☐ firefighter
- ☐ singer
- ☐ dancer
- ☐ doctor
- ☐ nurse
- ☐ pianist
- ☐ farmer

Jobs 직업

071 **future** 미래, 장래

072 **dream** 꿈, 꿈을 꾸다

회화 필수

- What's your dream job?
  네가 꿈꾸는 직업은 뭐니?

073 **teacher** 교사, 선생님

교과서

- This is my teacher.
  이분은 나의 선생님이셔.

074 **firefighter** 소방관

075 **singer** 가수

교과서

- Are you a singer?
  당신은 가수인가요?

076 **dancer** 무용수, 댄서

077 **doctor** 의사

교과서
- He's a doctor.
  그는 의사이다.

078 **nurse** 간호사

079 **pianist** 피아니스트

080 **farmer** 농부

교과서
- I'm a farmer.
  나는 농부야.

singer 직업을 나타내는 말 만들기

직업을 나타내는 말을 만드는 쉬운 방법이 있어요. '~을 하다'라는 의미의 행동을 나타내는 말 뒤에 -(e)r을 붙여서 '~하는 사람'이라는 뜻으로 직업을 나타낼 수 있답니다.

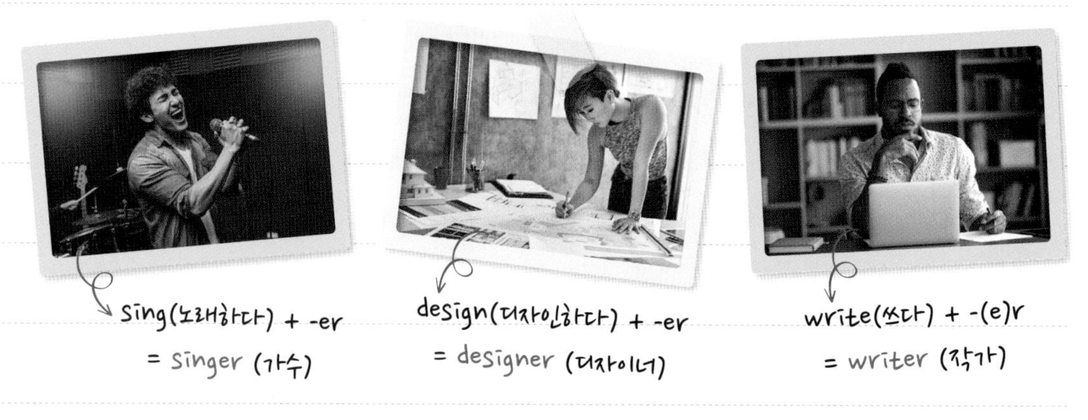

또한 악기 이름 뒤에 -ist를 붙이면 '~ 연주자'의 의미를 나타낼 수 있어요.

After-Check 다음 영단어의 우리말 뜻을 쓰시오. | 정답 131쪽 |

1 dream ____________

2 firefighter ____________

3 nurse ____________

4 farmer ____________

5 teacher ____________

6 doctor ____________

7 pianist ____________

8 singer ____________

9 future ____________

10 dancer ____________

Appearance

생김새

Pre-Check

학습 날짜 월 일

단어를 듣고, 뜻을 아는 단어에 ✓ 표시하세요.

- ☐ tall
- ☐ short
- ☐ fat
- ☐ slim
- ☐ young
- ☐ old
- ☐ cute
- ☐ beautiful
- ☐ ugly
- ☐ curly

Appearance 생김새

081 **tall** 키가 큰

교과서

• The giraffe is tall.
기린은 키가 크다.

082 **short** 1 **키가 작은** 2 (길이가) **짧은**

083 **fat** 뚱뚱한

084 **slim** 날씬한

085 **young** 젊은, 어린

086 **old** 1 늙은 2 나이가 ~인

회화 필수

- A: How old are you? 너는 몇 살이니?
  B: I'm ten years old. 나는 열 살이야.

087 **cute** 귀여운

교과서

- The zebra is cute.
  얼룩말은 귀엽다.

088 **beautiful** 아름다운

교과서

- The stars are beautiful.
  별들이 아름답다.

089 **ugly** 못생긴

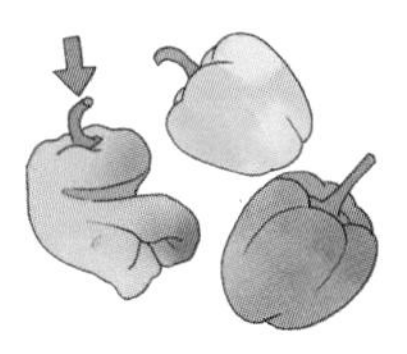

090 **curly** 곱슬곱슬한

fat 뚱뚱하다고 놀리면 안 돼요!

fat은 '뚱뚱한, 살찐'이라는 의미를 나타내는 가장 흔한 영어 단어인데요.

하지만 뚱뚱한 사람에게 대놓고 "You are fat."이라고 말하는 것은 대단히 예의 없는 행동이라는 것을 명심해야 해요!

'자라면서 빠지게 되는 아이의 포동포동한 젖살'을 가리킬 때는 baby fat 또는 puppy fat이라고 한다는 것도 알아 두세요!

After-Check 다음 영단어의 우리말 뜻을 쓰시오. | 정답 131쪽 |

1 curly ________
2 young ________
3 short ________
4 slim ________
5 tall ________
6 ugly ________
7 beautiful ________
8 fat ________
9 old ________
10 cute ________

Clothes

옷

Pre-Check

학습 날짜 월 일

단어를 듣고, 뜻을 아는 단어에 ✓ 표시하세요.

- ☐ hat
- ☐ jacket
- ☐ shirt
- ☐ coat
- ☐ sweater
- ☐ sock
- ☐ skirt
- ☐ shoe
- ☐ pants
- ☐ wear

DAY 10

Clothes 옷

091 **hat** 모자

교과서

• It's a hat.
그것은 모자예요.

092 **shirt** 셔츠

093 **sweater** 스웨터

교과서

• I want this sweater.
나는 이 스웨터를 원해요.

094 **skirt** 치마

095 **pants** 1 바지 2 팬티

096 **jacket** 재킷

097 **coat** 코트, 외투

교과서

• I have a blue coat.
나는 파란색 외투가 있어요.

098 **sock** 양말

099 **shoe** 신발

교과서

• We have new shoes.
우리는 새 신발이 있어요.

100 **wear** 입고 있다

pants 바지(pants)는 왜 복수형으로 쓸까요?

skirt 뒤에는 -s가 안 붙는데 왜 pant 뒤에는 복수의 의미를 나타내는 -s가 붙을까요?

사진에 보이는 것처럼 바지는 두 다리를 넣을 수 있도록 두 부분으로 나뉘어 있어서 -s가 붙는 거예요.

바지와 같이 두 개가 하나의 짝을 이뤄서 '~ 한 벌'의 의미를 나타낼 때는 a pair of pants(바지 한 벌)와 같이 나타내요.

a pair of socks (양말 한 켤레)

a pair of shoes (신발 한 켤레)

After-Check 다음 영단어의 우리말 뜻을 쓰시오. | 정답 131쪽 |

1 coat ____________ 6 jacket ____________

2 wear ____________ 7 hat ____________

3 sweater ____________ 8 sock ____________

4 skirt ____________ 9 pants ____________

5 shoe ____________ 10 shirt ____________

Food

음식

Pre-Check

학습 날짜 월 일

단어를 듣고, 뜻을 아는 단어에 ✓ 표시하세요.

- ☐ food
- ☐ water
- ☐ milk
- ☐ bread
- ☐ apple
- ☐ egg
- ☐ cake
- ☐ full
- ☐ hungry
- ☐ drink

DAY 11

Food 음식

101 **food** 음식

102 **water** 물

103 **milk** 우유

교과서

- I like milk.
  나는 우유를 좋아해.

104 **bread** 빵

교과서

- Do you want some bread?
  빵 좀 먹을래?

105 **apple** 사과

교과서

- How many apples?
  사과가 몇 개니?

106 **egg** 달걀

107 **cake** 케이크

108 **full** 1 배부른 2 가득 찬

회화 필수

- I'm full.
  나 배불러.

109 **hungry** 배고픈

교과서

- Are you hungry?
  너는 배고프니?

110 **drink** 1 마시다 2 음료

교과서

- Drink some water.
  물을 좀 마셔.

full 배가 가득 차면 배가 부르죠!

full은 '~이 가득한' 상태를 의미하는 말이에요. 그래서 앞에 full이 붙으면 무언가 완전히 채워진 온전한 상태를 나타낼 수 있어요. 생각보다 정말 다양한 표현으로 쓰인답니다.

1

full
배부른

음식을 잔뜩 먹어서 배가 '가득 차면' 당연히 '배가 부른' 상태가 되겠죠!

2

full moon
보름달

달이 가득 차면 보름달이 되죠. 그래서 보름달을 full moon이라고 해요.

3

full name
(성을 포함한) 이름

full name은 성과 이름을 모두 말하는 것을 뜻한답니다.

After-Check 다음 영단어의 우리말 뜻을 쓰시오. | 정답 132쪽 |

1 milk ______________

2 apple ______________

3 cake ______________

4 drink ______________

5 water ______________

6 hungry ______________

7 egg ______________

8 food ______________

9 full ______________

10 bread ______________

Vehicles
탈것

Pre-Check

학습 날짜 월 일

단어를 듣고, 뜻을 아는 단어에 ✓ 표시하세요.

- ☐ car
- ☐ bus
- ☐ ship
- ☐ subway
- ☐ train
- ☐ airplane
- ☐ bicycle
- ☐ walk
- ☐ take
- ☐ stop

DAY 12

Vehicles 탈것

111 **car** 자동차, 차

112 **bus** 버스

교과서

- Let's get on the bus.
  버스에 타자.

113 **ship** 배, 선박

114 **subway** 지하철

교과서

- Take the subway.
  지하철을 타라.

115 **train** 기차

116 airplane

비행기

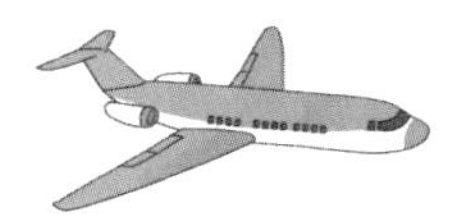

117 bicycle

(= bike)

자전거

118 walk

걷다

교과서

- Can you walk?
  너 걸을 수 있니?

119 take

1 (교통수단을) **타다** 2 (사진을) **찍다**

회화 필수

- Let's take a taxi. 택시를 타자.

교과서

- Take a picture. 사진을 찍어.

120 stop

1 **멈추다** 2 **정류장**

교과서

- Stop. Be careful.
  멈춰. 조심해.

subway '지하철'을 나타내는 다양한 표현

여러분도 지하철을 타 본 경험이 있지요?

세계 최초의 지하철은 영국의 런던에서 운행되었다고 합니다.

우리나라의 지하철역을 보면 영어로 'subway'로 표기되어 있는데요. 나라마다 지하철을 가리키는 말이 조금씩 달라요.

미국 영어에서는 지하철을 subway라고 말하지만 영국 영어에서는 지하철을 underground 또는 tube라고 말하고요, 대부분의 유럽 국가에서는 지하철을 metro라고 말해요.

외국에서 지하철을 탈 기회가 있다면 어떻게 표기되어 있는지 한번 살펴보세요!

After-Check 다음 영단어의 우리말 뜻을 쓰시오. | 정답 132쪽 |

1	subway	________	6	walk	________
2	airplane	________	7	take	________
3	stop	________	8	bus	________
4	car	________	9	train	________
5	ship	________	10	bicycle	________

Color & Shape

색과 모양

Pre-Check

학습 날짜 월 일

단어를 듣고, 뜻을 아는 단어에 ✓ 표시하세요.

- ☐ color
- ☐ red
- ☐ blue
- ☐ yellow
- ☐ green
- ☐ white
- ☐ black
- ☐ circle
- ☐ triangle
- ☐ square

DAY 13

Color & Shape 색과 모양

121 **color** 색깔

교과서

• What color is it?
그것은 무슨 색이니?

122 **red** 빨간색

교과서

• It's red.
그것은 빨간색이야.

123 **blue** 파란색

교과서

• I like blue.
나는 파란색을 좋아해.

124 **yellow** 노란색

125 **green** 초록색

Listen & Check

1 2 3 4

126 **white** 흰색

127 **black** 검정색

128 **circle** 원, 동그라미

- Draw a circle.
  원을 그려라.

129 **triangle** 삼각형

130 **square** 정사각형

color 따뜻한 색 vs. 차가운 색

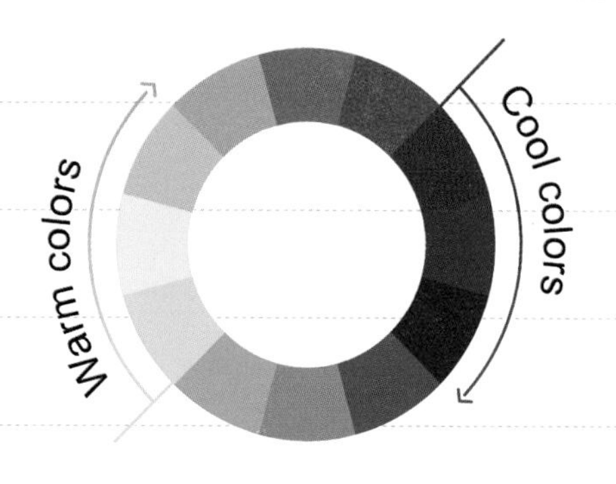

색에도 온도가 있다는 것을 알고 있나요?

red, yellow, orange(주황색)는 따뜻한 색이고,

green, blue, purple(보라색)은 차가운 색에 속해요.

따뜻한 색들은 행복과 활기 등의 감정을 주고 사람들의 시선을 끌기 때문에 멈춤 표시나 경고 표지에 쓰여요.

반면에 차가운 색들은 사람의 마음을 차분하게 진정시켜 주지만 슬픔을 나타낼 수도 있어요.

blue는 '파란색'이라는 뜻 외에 '우울한'의 의미로 쓰이기도 한답니다.

After-Check

다음 영단어의 우리말 뜻을 쓰시오. | 정답 132쪽 |

1 blue ______________ 6 color ______________

2 green ______________ 7 black ______________

3 square ______________ 8 triangle ______________

4 white ______________ 9 yellow ______________

5 circle ______________ 10 red ______________

Numbers
숫자

Pre-Check

학습 날짜 월 일

단어를 듣고, 뜻을 아는 단어에 ✓ 표시하세요.

- ☐ one
- ☐ two
- ☐ three
- ☐ four
- ☐ five
- ☐ six
- ☐ seven
- ☐ eight
- ☐ nine
- ☐ ten

DAY 14

Numbers 숫자

131 **one** 하나, 1

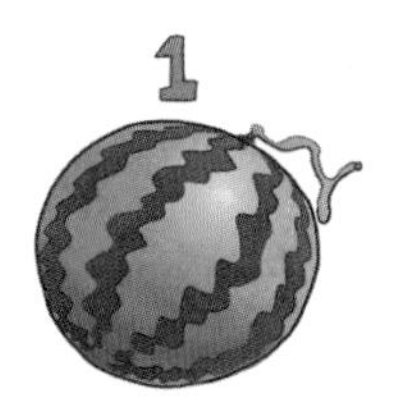

132 **two** 둘, 2

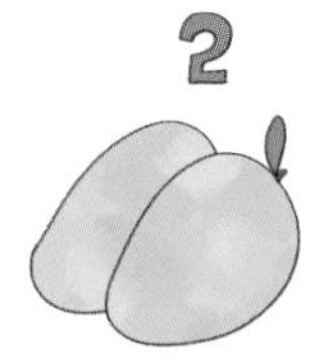

133 **three** 셋, 3

교과서

- A: How many tomatoes?
  토마토가 몇 개니?

  B: Three tomatoes. 세 개요.

134 **four** 넷, 4

135 **five** 다섯, 5

교과서

- Five oranges, please.
  오렌지 다섯 개 주세요.

136 **six** 여섯, 6

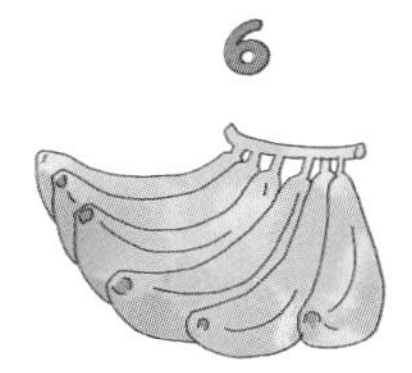

137 **seven** 일곱, 7

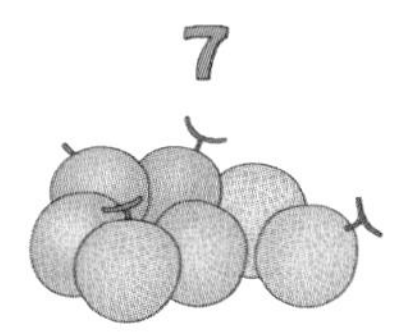

138 **eight** 여덟, 8

교과서

- I'm eight years old.
  나는 여덟 살이야.

139 **nine** 아홉, 9

140 **ten** 열, 10

numbers 행운의 숫자 vs. 불행의 숫자

여러분의 행운의 숫자는 무엇인가요?

우리나라에서는 보통 7은 행운의 숫자로 여겨지고, '죽을 사(死)'와 소리가 같은 4는 불행의 숫자로 여겨지는데요.

행운의 숫자와 불행의 숫자도 나라마다 다르다는 사실 알고 있나요? 미국에서는 완전함을 뜻하는 7은 행운의 숫자로, 짐승이나 사탄을 의미하는 6은 불행의 숫자로 여겨져요. 또한 중국에서는 숫자 8이 '돈을 벌다'의 파(發 fa)와 발음이 비슷하고, 무한대(∞)의 의미도 있기 때문에 행운의 숫자로 여겨지고, 4는 우리나라와 마찬가지로 '죽음'을 연상하는 발음과 비슷해서 불행의 숫자로 여겨진다고 하네요.

After-Check 다음 영단어의 우리말 뜻을 쓰시오. | 정답 132쪽 |

1 six	________	6 two	________
2 three	________	7 four	________
3 nine	________	8 seven	________
4 one	________	9 ten	________
5 eight	________	10 five	________

Location & Direction 위치와 방향

Pre-Check 학습 날짜 월 일

단어를 듣고, 뜻을 아는 단어에 ✓ 표시하세요.

- ☐ left
- ☐ right
- ☐ up
- ☐ down
- ☐ front
- ☐ behind
- ☐ inside
- ☐ outside
- ☐ near
- ☐ far

DAY 15

Location & Direction 위치와 방향

141 **left**

왼쪽, 왼쪽으로

교과서

- Turn left.
  왼쪽으로 돌아가세요.

142 **right**

오른쪽, 오른쪽으로

교과서

- It's on your right.
  그것은 당신의 오른쪽에 있어요.

143 **up**

위쪽에

144 **down**

아래에

145 **front**

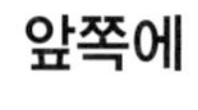

앞쪽에

Listen & Check
1 2 3 4

146 **behind** 뒤에

교과서

- It's behind the school.
  그것은 학교 뒤에 있어요.

147 **inside** (~의) 안에, ~ 안으로

교과서

- Let's go inside.
  안으로 들어갑시다.

148 **outside** (~의) 밖에, ~ 밖으로

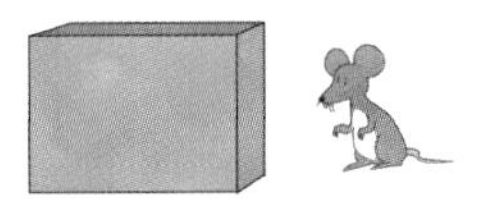

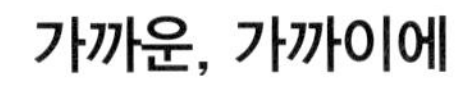

149 **near** 가까운, 가까이에

150 **far** 먼, 멀리에

side   side 앞에 어떤 말을 붙여 볼까요?

side는 '(어떤 것의) 한쪽 면'을 뜻하는 말인데요, side 앞에 붙는 말에 따라 다양한 위치 표현이 가능해요.

'안쪽'과 '바깥쪽'은 side 앞에 in과 out을 붙여 inside와 outside로 말할 수 있답니다.

마찬가지로 다음과 같이 side로 다양한 방향을 나타낼 수 있어요.

- left side(왼쪽 면, 좌측)
- right side(오른쪽 면, 우측)
- upside(위쪽)
- downside(아래쪽)

정말 쓰임이 많은 단어죠? 한 가지 더, side를 이용한 재미있는 표현이 있어요.

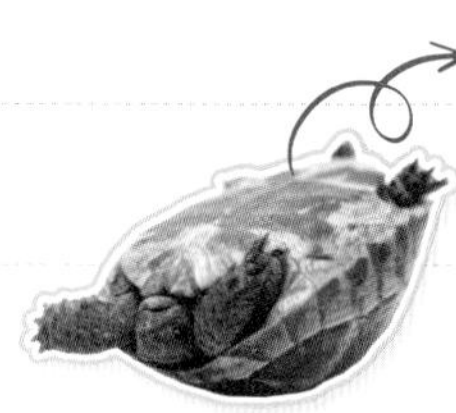

위아래가 이렇게 '거꾸로 뒤집힌' 상태를 나타낼 때는 upside down이라고 말한다는 것도 알아 두세요!

After-Check 다음 영단어의 우리말 뜻을 쓰시오. | 정답 132쪽 |

1 down ______ 6 far ______

2 outside ______ 7 inside ______

3 right ______ 8 left ______

4 behind ______ 9 front ______

5 near ______ 10 up ______

Time
시간

Pre-Check 학습 날짜 월 일

단어를 듣고, 뜻을 아는 단어에 ✓ 표시하세요.

- ☐ Sunday
- ☐ Monday
- ☐ Tuesday
- ☐ Wednesday
- ☐ Thursday
- ☐ Friday
- ☐ Saturday
- ☐ morning
- ☐ afternoon
- ☐ night

DAY 16

Time 시간

151 Sunday

일요일

회화 필수

• We go to church every Sunday.
우리는 매주 일요일에 교회에 가.

152 Monday

월요일

교과서

• A: What day is it? 무슨 요일이니?
B : It's Monday. 월요일이야.

153 Tuesday

화요일

154 Wednesday

수요일

155 Thursday

목요일

156 **Friday** 금요일

157 **Saturday** 토요일

158 **morning** 아침, 오전

교과서

- Good morning.
  좋은 아침이야.(안녕.)

159 **afternoon** 오후

160 **night** 밤, 야간

-day 요일의 유래

여러분은 어떤 요일을 가장 좋아하나요?

일요일부터 토요일까지 주 7일이 사용되기 시작한 것은 로마의 콘스탄티누스 황제 때부터라고 해요. 당시 로마인들이 태양과 달, 5개의 행성(수, 금, 화, 목, 토)의 이름을 따서 각각의 요일에 붙였답니다. 일요일(Sunday)은 '태양(Sun)의 날', 월요일(Monday)은 '달(Moon)의 날', 화요일(Tuesday)은 '화성(Mars)의 날', 수요일(Wednesday)은 '수성(Mercury)의 날', 목요일(Thursday)은 '목성(Jupiter)의 날', 금요일(Friday)은 금성(Venus)의 날, 토요일(Saturday)은 '토성(Saturn)의 날'이랍니다.

After-Check 다음 영단어의 우리말 뜻을 쓰시오. | **정답** 133쪽 |

1 Tuesday ____________
2 morning ____________
3 Friday ____________
4 Sunday ____________
5 night ____________
6 Thursday ____________
7 Wednesday ____________
8 afternoon ____________
9 Saturday ____________
10 Monday ____________

House 1

집

Pre-Check

학습 날짜 월 일

단어를 듣고, 뜻을 아는 단어에 ✓ 표시하세요.

- ☐ house
- ☐ door
- ☐ bell
- ☐ room
- ☐ garden
- ☐ roof
- ☐ wall
- ☐ floor
- ☐ window
- ☐ stairs

DAY 17

House 1 집

161 **house** 집, 주택

교과서

• It is a big house.
그것은 큰 집이다.

162 **door** 문

163 **bell** 벨, 초인종

164 **room** 방

교과서

• I'm cleaning the room.
나는 방을 청소하고 있다.

165 **garden** 정원

166 **roof** 지붕

167 **wall** 벽

168 **floor** 바닥

169 **window** 창문

교과서

- Close the window, please.
  창문을 닫아 주세요.

170 **stairs** 계단

room 방 방 무슨 방

room 앞에 특정 행동을 하는 말을 넣어 여러 장소를 나타내는 말을 만들 수 있어요.

reading + room = 독서실, 열람실

living + room = 거실

dining + room = 식당

waiting + room = 대기실, 대합실

우리말도 방을 의미하는 '실'을 써서 침실, 욕실, 거실 등의 다양한 방을 나타낼 수 있죠? 영어도 마찬가지랍니다!

After-Check 다음 영단어의 우리말 뜻을 쓰시오. | 정답 133쪽 |

1 door ____________ 6 window ____________

2 stairs ____________ 7 house ____________

3 bell ____________ 8 garden ____________

4 roof ____________ 9 floor ____________

5 wall ____________ 10 room ____________

House 2

집

Pre-Check 학습 날짜 월 일

단어를 듣고, 뜻을 아는 단어에 ✓ 표시하세요.

- ☐ bed
- ☐ lamp
- ☐ chair
- ☐ table
- ☐ desk
- ☐ sofa
- ☐ clock
- ☐ towel
- ☐ soap
- ☐ mirror

DAY 18

House 2 집

171 **bed** 침대

교과서

• My bed is big.
내 침대는 크다.

172 **lamp** 램프, 등

173 **chair** 의자

174 **table** 탁자, 테이블

교과서

• It's on the table.
그것은 탁자 위에 있다.

175 **desk** 책상

176 **sofa** 소파

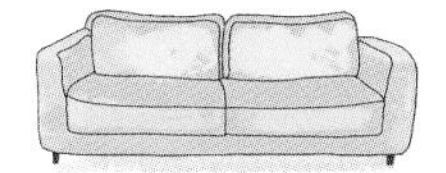

177 **clock** 시계

교과서

• It's a clock.
그것은 시계이다.

178 **towel** 수건

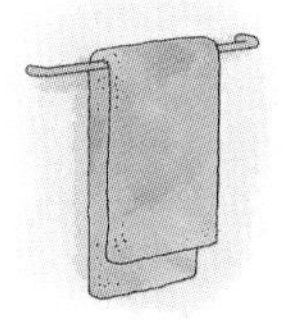

179 **soap** 비누

180 **mirror** 거울

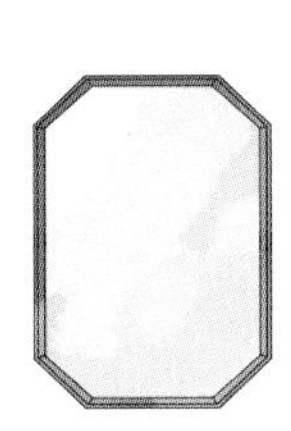

교과서

• Is this your mirror?
이것이 네 거울이니?

clock 째깍째깍 시간을 알려 드립니다~

여러분의 방에는 어떤 시계가 걸려 있나요? clock은 벽에 걸거나 실내에 두는 시계를 가리키는 말이에요. 반면에 손목시계는 watch라고 하고요. 그래서 손목에 차는 스마트시계는 smart clock이 아니라 smart watch라고 한답니다. 기능과 모양에 따라 다양한 시계가 있는데요. 영어로는 뭐라고 하는지 살펴볼까요?

watch (손목시계)

alarm clock (알람시계)

cuckoo clock (뻐꾸기시계)

stop watch (스톱워치)

grandfather clock (괘종시계)

After-Check 다음 영단어의 우리말 뜻을 쓰시오. | 정답 133쪽 |

1 chair ____________ 6 bed ____________

2 sofa ____________ 7 desk ____________

3 mirror ____________ 8 clock ____________

4 table ____________ 9 soap ____________

5 lamp ____________ 10 towel ____________

School 1

학교

Pre-Check

학습 날짜 월 일

단어를 듣고, 뜻을 아는 단어에 ✓ 표시하세요.

- ☐ study
- ☐ teach
- ☐ class
- ☐ read
- ☐ write
- ☐ homework
- ☐ prize
- ☐ student
- ☐ classroom
- ☐ playground

DAY 19

School 1 학교

181 **study** 공부하다

182 **teach** 가르치다

183 **class** 1 학급, 반 2 수업

교과서

- I have an art class today.
  나는 오늘 미술 수업이 있다.

184 **read** 읽다

교과서

- Read a book.
  책을 읽어라.

185 **write** 쓰다

Listen & Check
1 2 3 4

186 **homework** 숙제

교과서
- It's time for homework.
숙제할 시간이다.

187 **prize** 상, 상품

188 **student** 학생

교과서
- She is a student.
그녀는 학생이다.

189 **classroom** 교실

190 **playground** 운동장

student 여러분은 학교에서 어떤 학생인가요?

student는 '학생'을 가리키는 가장 일반적인 영어 단어예요.

student 외에도 '학생'을 뜻하는 단어들이 있는데요. schoolboy(남학생), schoolgirl(여학생), schoolchild(어린 학생) 등의 표현이 있어요.

3학년 학생은 어떻게 표현할까요? a third-year student라고 말한답니다.

학교에서 품행이 단정한 모범 학생은 a good student라고 말하는데요, 여러분도 a good student가 되기로 약~속!

After-Check

다음 영단어의 우리말 뜻을 쓰시오. | 정답 133쪽 |

1	class	6	homework
2	student	7	playground
3	read	8	study
4	prize	9	teach
5	write	10	classroom

School 2

학교

Pre-Check

학습 날짜 월 일

단어를 듣고, 뜻을 아는 단어에 ✓ 표시하세요.

- ☐ book
- ☐ eraser
- ☐ pencil
- ☐ scissors
- ☐ pen
- ☐ bag
- ☐ ruler
- ☐ glue
- ☐ textbook
- ☐ notebook

DAY 20

School 2 학교

191 **book** 책

192 **eraser** 지우개

교과서
- Do you have an eraser?
  지우개 있니?

193 **pencil** 연필

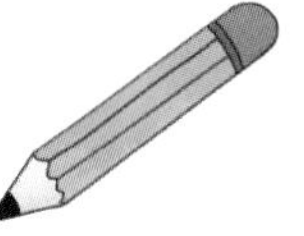

194 **scissors** 가위

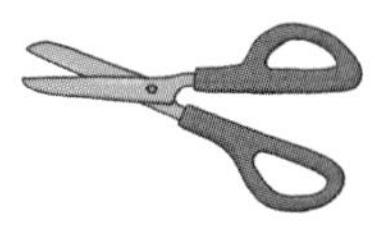

교과서
- I don't have scissors.
  나는 가위가 없어.

195 **pen** 펜

Listen & Check
1 2 3 4

196 **bag** 가방

197 **ruler** 자

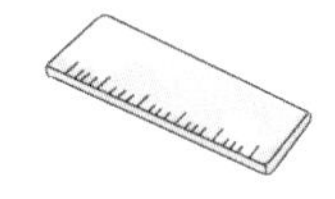

교과서

• I have a ruler.
나는 자가 있어.

198 **glue** 풀

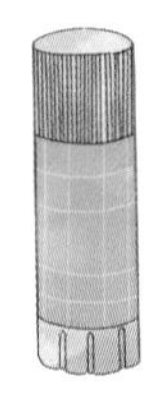

199 **textbook** 교과서

200 **notebook** 공책

pencil 필통 = 연필 담는 통!

필통은 연필(pencil)을 담는 통(case)이죠?

영어에서도 그대로 pencil case라고 말한답니다.

따로 외울 필요도 없겠죠? 이렇게 들으면 바로 이해가 되는 영어 표현도 많답니다.

그중에서도 case를 이용한 표현들을 알아볼까요?

다음 이미지를 보고 생각해 봐요. 과연 영어로는 뭐라고 부를까요?

1 book________ 2 phone ________ 3 card ________

After-Check

다음 영단어의 우리말 뜻을 쓰시오. | 정답 133쪽 |

1 pencil	________	6 eraser	________
2 textbook	________	7 scissors	________
3 book	________	8 bag	________
4 pen	________	9 notebook	________
5 glue	________	10 ruler	________

Mart
마트

Pre-Check 학습 날짜 월 일

단어를 듣고, 뜻을 아는 단어에 ✓ 표시하세요.

- [ ] buy
- [ ] sell
- [ ] price
- [ ] shop
- [ ] money
- [ ] coin
- [ ] sale
- [ ] change
- [ ] choose
- [ ] store

DAY 21

Mart 마트

201 buy 사다, 구입하다

교과서

• I can't buy a new skirt.
나는 새 치마를 살 수 없어.

202 sell 팔다

203 price 가격

204 shop 1 가게, 상점 2 쇼핑하다

교과서

• Let's go shopping.
쇼핑하러 가자.

205 money 돈

Listen & Check
1 2 3 4

206 coin

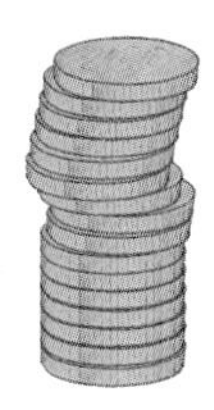

동전

207 sale

1 판매
2 세일, 할인 판매

208 change

1 바꾸다 2 잔돈

회화 필수

- Here is your change.
  여기 잔돈이요.

209 choose

선택하다, 고르다

210 store

가게, 상점

money 나라마다 돈을 세는 단위가 달라요!

우리나라에서는 돈을 셀 때 '원'이라는 단위를 사용하는데요.

각 나라마다 돈을 세는 단위가 달라요. 여러분은 몇 가지나 알고 있나요? 대표적인 화폐 단위를 살펴보기로 해요!

미국의 화폐 단위
달러 (dollar, $)

중국의 화폐 단위
위안 (CNY, ¥)

유럽 연합의 화폐 단위
유로 (euro, €)

After-Check

다음 영단어의 우리말 뜻을 쓰시오. | 정답 134쪽 |

1 shop ____________ 6 sell ____________

2 buy ____________ 7 money ____________

3 choose ____________ 8 change ____________

4 coin ____________ 9 price ____________

5 store ____________ 10 sale ____________

Other Places
기타 장소

Pre-Check 학습 날짜 월 일

단어를 듣고, 뜻을 아는 단어에 ✓ 표시하세요.

- ☐ zoo
- ☐ market
- ☐ farm
- ☐ park
- ☐ bank
- ☐ airport
- ☐ church
- ☐ library
- ☐ museum
- ☐ restaurant

DAY 22

Other Places 기타 장소

211 **zoo** 동물원

212 **market** 시장

교과서

- She's going to the market.
  그녀는 시장에 가고 있다.

213 **farm** 농장

214 **park** 공원

교과서

- Let's meet at the park.
  공원에서 만나자.

215 **bank** 은행

216 **airport** 공항

217 **church** 교회

218 **library** 도서관

219 **museum** 박물관

220 **restaurant** 식당

회화 필수

- I like this restaurant.
  나는 이 식당을 좋아해.

market 이번 주말에는 시장 구경을 가 볼까요?

시장에 가면 갖가지 음식과 물건들 구경하는 재미가 쏠쏠한데요. 여러 상품을 모두 파는 종합 시장도 있지만 특정 상품을 전문적으로 파는 시장도 있어요. 그런 시장들을 영어로 어떻게 표현하는지 알아보고 같이 시장 구경을 가 볼까요?

fish market (수산 시장)

flower market (꽃시장)

fruit market (과일 시장)

grain market (곡물 시장)

After-Check 다음 영단어의 우리말 뜻을 쓰시오. | 정답 134쪽 |

| 정답 134쪽 |

1 library ______________
2 airport ______________
3 farm ______________
4 museum ______________
5 bank ______________
6 market ______________
7 restaurant ______________
8 zoo ______________
9 park ______________
10 church ______________

Weather
날씨

Pre-Check

학습 날짜 월 일

단어를 듣고, 뜻을 아는 단어에 ✓ 표시하세요.

- ☐ cold
- ☐ hot
- ☐ cool
- ☐ warm
- ☐ windy
- ☐ sunny
- ☐ cloudy
- ☐ rainy
- ☐ snowy
- ☐ rainbow

DAY 23

Weather 날씨

221 **cold** 1 추운, 차가운 2 감기

교과서

- It's cold.
  춥다.

222 **hot** 더운, 뜨거운

223 **cool** 시원한

224 **warm** 따뜻한

225 **windy** 바람 부는

교과서

- A: How's the weather? 날씨가 어떠니?
  B: It's windy. 바람 불어.

Listen & Check
1 2 3 4

226 **sunny** 화창한

교과서
- It's sunny. Let's play outside.
  화창해. 밖에 나가서 놀자.

227 **cloudy** 흐린

228 **rainy** 비가 오는

229 **snowy** 눈이 오는

230 **rainbow** 무지개

sunny 날씨와 관련된 말 뒤에 -y를 붙여라!

날씨를 나타내는 다양한 단어가 있는데, 이러한 표현을 쉽게 만드는 방법은 날씨 관련 단어 뒤에 -y를 붙이는 거예요.

'비'가 영어로 rain이라는 건 모두 알고 있죠? 여기에 -y를 붙여서 rainy로 바꾸면 '비가 오는'의 의미가 되어 "It's rainy."와 같이 표현할 수 있어요. 다른 날씨 표현도 한번 만들어 볼까요?

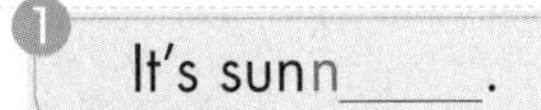

2 It's cloud_____.

3 It's snow_____.

간단하죠? 단, sunny는 sun에 n을 한 번 더 쓴 후에 -y를 붙여야 해요. 마찬가지로 '안개가 낀'이라는 단어 역시 '안개'라는 의미의 fog에 g를 한 번 더 쓰고 -y를 붙여 써요.

4 It's fogg_____.

After-Check 다음 영단어의 우리말 뜻을 쓰시오. | 정답 134쪽 |

1 cool _______________
2 rainy _______________
3 cold _______________
4 snowy _______________
5 hot _______________
6 warm _______________
7 sunny _______________
8 rainbow _______________
9 windy _______________
10 cloudy _______________

Season
계절

Pre-Check 학습 날짜 월 일

단어를 듣고, 뜻을 아는 단어에 ✓ 표시하세요.

- ☐ spring
- ☐ summer
- ☐ fall
- ☐ winter
- ☐ air
- ☐ wind
- ☐ ice
- ☐ melt
- ☐ dry
- ☐ wet

DAY 24

Season 계절

231 **spring** 봄

교과서

- A: What season do you like?
  너는 어떤 계절을 좋아하니?
  B: I like spring. 나는 봄을 좋아해.

232 **summer** 여름

233 **fall** 가을

234 **winter** 겨울

교과서

- Let's go to Jejudo this winter.
  이번 겨울에 제주도에 가자.

235 **air** 공기, 대기

236 **wind** 바람

237 **ice** 얼음

238 **melt** 녹다, 녹이다

239 **dry** 마른, 건조한

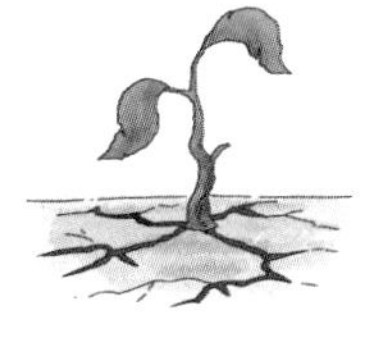

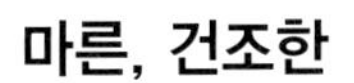

- In spring, the air is dry.
  봄에는 대기가 건조하다.

240 **wet** 젖은, 습한

spring spring에 이런 뜻도?

봄이 되면 갖가지 꽃이 피고 날씨도 온화해서 많은 사람이 봄을 무척 좋아하는데요. 영어 단어 spring에는 '봄'이라는 뜻 외에도 여러 의미가 있어요.

spring에는 또 어떤 뜻이 담겨 있는지 같이 살펴보아요.

After-Check 다음 영단어의 우리말 뜻을 쓰시오. | 정답 134쪽 |

1 summer	______	6 wet	______
2 dry	______	7 air	______
3 winter	______	8 spring	______
4 melt	______	9 ice	______
5 fall	______	10 wind	______

Animals
동물

Pre-Check

학습 날짜 월 일

단어를 듣고, 뜻을 아는 단어에 ✓ 표시하세요.

☐ ant	☐ bear
☐ cat	☐ duck
☐ dog	☐ lion
☐ pig	☐ bat
☐ snake	☐ fish

DAY 25

Animals 동물

241 **ant** 개미

242 **cat** 고양이

243 **dog** 개

244 **pig** 돼지

교과서

- A: Is it a pig? 그것은 돼지니?
  B: Yes, it is. 응, 맞아.

245 **snake** 뱀

교과서

- A: What's this? 이것은 무엇이죠?
  B: It's a snake. 그것은 뱀이야.

Listen & Check

1 2 3 4

246 **bear** 곰

247 **duck** 오리

교과서

- Catch the duck!
  오리를 잡아!

248 **lion** 사자

249 **bat** 박쥐

250 **fish** 물고기

회화 필수

- Cats like to eat fish.
  고양이는 물고기 먹는 것을 좋아한다.

underdog? 동물 이름이 포함된 다양한 영어 표현

우리말 속담에 동물이 들어간 표현들이 많이 있는데요. 영어 표현에도 다양한 동물이 등장해요. 각 동물들의 특징을 생각해 보면 표현의 의미를 조금 쉽게 떠올릴 수 있을 텐데요. 몇 가지 재미있는 표현들을 함께 알아볼까요?

underdog (약자, 패자)

catnap (짧게 자는 잠)

eat like a horse (엄청 많이 먹다)

the lion's share (가장 큰 몫, 부분)

After-Check 다음 영단어의 우리말 뜻을 쓰시오. | 정답 134쪽 |

1 cat ________

2 snake ________

3 lion ________

4 fish ________

5 pig ________

6 bear ________

7 ant ________

8 bat ________

9 dog ________

10 duck ________

Earth
지구

Pre-Check

학습 날짜 월 일

단어를 듣고, 뜻을 아는 단어에 ✓ 표시하세요.

- ☐ sky
- ☐ sea
- ☐ land
- ☐ tree
- ☐ flower
- ☐ field
- ☐ river
- ☐ lake
- ☐ cloud
- ☐ mountain

DAY 26

Earth 지구

251 **sky** 하늘

회화 필수

• Look at the sky.
하늘을 봐.

252 **sea** 바다

253 **land** 육지, 땅

254 **tree** 나무

255 **flower** 꽃

교과서

• I'm drawing flowers.
나는 꽃을 그리고 있다.

256 **field** 들판

257 **river** 강

회화 필수

- Let's swim in the river.
  강에서 수영하자.

258 **lake** 호수

259 **cloud** 구름

260 **mountain** 산

cloud 구름 위에 떠 있는 것 같아요~

토끼 구름, 뭉게구름, 먹구름...

구름의 종류도 다양한 만큼 영어에도 cloud가 포함된 다양한 표현들이 있어요.

구름 위에 붕 떠 있는 것처럼 날아갈 듯이 기분이 좋을 때

“I’m on cloud nine.”이라고 말할 수 있어요.

여러분도 공부나 숙제를 하다가 말고 엉뚱한 생각을

하느라 시간을 허비한 경험 많이 있지요? 하고 있는

일과 관련 없는 엉뚱한 생각을 하는 것을 영어로는

“I have my head in the clouds.”라고 표현해요.

After-Check 다음 영단어의 우리말 뜻을 쓰시오. | 정답 135쪽 |

1 land ________
2 cloud ________
3 flower ________
4 river ________
5 sky ________
6 field ________
7 lake ________
8 mountain ________
9 tree ________
10 sea ________

Study More Words 1

Pre-Check

학습 날짜 월 일

단어를 듣고, 뜻을 아는 단어에 ✓ 표시하세요.

- ☐ big
- ☐ small
- ☐ long
- ☐ story
- ☐ king
- ☐ family
- ☐ give
- ☐ have
- ☐ wait
- ☐ catch

DAY 27

Study More Words 1

261 **big** 큰

교과서

- Look at the elephant. It's big.
  코끼리를 봐. 그것은 커.

262 **small** 작은

263 **long** 긴

264 **story** 이야기

265 **king** 왕

Listen & Check

1 2 3 4

266 **family**

가족

267 **give**

주다

268 **have**

1 가지다 2 먹다, 마시다

교과서

• I have a map.
나는 지도를 가지고 있다.

269 **wait**

기다리다

270 **catch**

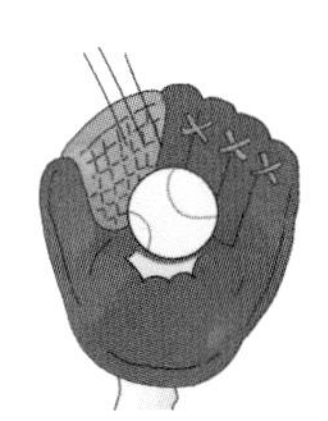

잡다

교과서

• Catch the ball.
공을 잡아.

family | family tree를 만들어 볼까요?

여러분의 가족 구성원은 총 몇 명인가요? 요즘은 부모님과 자녀 한두 명이 같이 사는 핵가족이 대부분이지만 예전에는 할머니, 할아버지, 삼촌, 고모 등 많은 가족이 함께 사는 대가족도 많았어요.

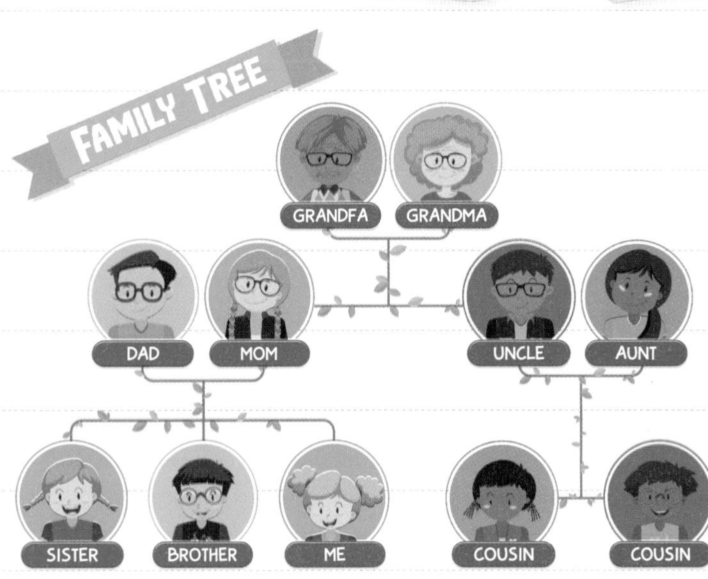

옆의 그림처럼 가족 구성원을 표시한 것을 가계도(family tree)라고 하는데요.

여러분도 자신의 family tree를 한번 만들어 보는 건 어떨까요?

After-Check

다음 영단어의 우리말 뜻을 쓰시오. | 정답 135쪽 |

1 give ____________ 6 small ____________
2 long ____________ 7 wait ____________
3 catch ____________ 8 have ____________
4 story ____________ 9 king ____________
5 family ____________ 10 big ____________

Study More Words 2

Pre-Check 학습 날짜 월 일

단어를 듣고, 뜻을 아는 단어에 ✓ 표시하세요.

- ☐ cut
- ☐ run
- ☐ make
- ☐ do
- ☐ name
- ☐ age
- ☐ deep
- ☐ hard
- ☐ bottle
- ☐ begin

DAY 28

Study More Words 2

271 **cut** 자르다

272 **run** 뛰다, 달리다

교과서
- Don't run, please.
뛰지 마세요.

273 **make** 만들다

교과서
- She's making a pinata.
그녀는 피냐타를 만들고 있다.

274 **do** 하다

To do list

275 **name** 이름

교과서
- What's your name?
네 이름이 뭐니?

Listen & Check
1 2 3 4

276 **age** 나이

277 **deep** 깊은

278 **hard** 1 열심히 2 단단한

회화 필수

- Study hard.
  열심히 공부해라.

279 **bottle** 병

280 **begin** 시작하다

name 인기 있는 이름

각 시대마다 인기 있거나 흔한 이름이 있는데요. 오래전 교과서에는 영희와 철수가 단골 등장인물이었지요. 영어 이름도 마찬가지로 Andrew나 Alice처럼 오래전부터 꾸준히 사랑받는 이름도 있고 시대에 따라 새롭게 인기 있는 이름들도 있어요.

그럼, 최근에 인기 있는 여자와 남자의 영어 이름을 한번 살펴볼까요?

순위	여자 이름	남자 이름
1	Olivia	Noah
2	Emma	Liam
3	Ava	Elijah
4	Isabella	Sebastian
5	Sophia	Oliver
6	Ella	Mason
7	Amelia	Alexander
8	Camila	Mateo
9	Mia	James
10	Charlotte	Gabriel

After-Check 다음 영단어의 우리말 뜻을 쓰시오. | 정답 135쪽 |

1 cut ____________ 6 deep ____________

2 name ____________ 7 hard ____________

3 begin ____________ 8 run ____________

4 do ____________ 9 age ____________

5 make ____________ 10 bottle ____________

Study More Words 3

Pre-Check 학습 날짜 월 일

단어를 듣고, 뜻을 아는 단어에 ✓ 표시하세요.

- ☐ low
- ☐ high
- ☐ top
- ☐ open
- ☐ close
- ☐ burn
- ☐ hate
- ☐ start
- ☐ bite
- ☐ dirty

DAY 29

Study More Words 3

281 **low** 낮은, 낮게

282 **high** 높은, 높이

회화 필수

- The mountain is high.
  그 산은 높다.

283 **top** 맨 위, 꼭대기

284 **open** 열다

285 **close** 닫다

교과서

- Close the door, please.
  문을 닫아 주세요.

286 **burn** 1 타다 2 데다

287 **hate** 싫어하다, 미워하다

288 **start** 시작하다

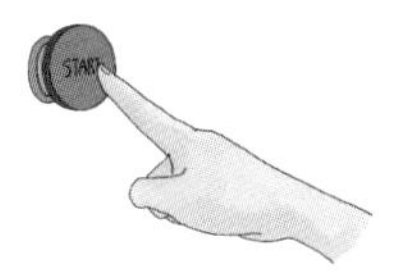

289 **bite** 물다

290 **dirty** 더러운

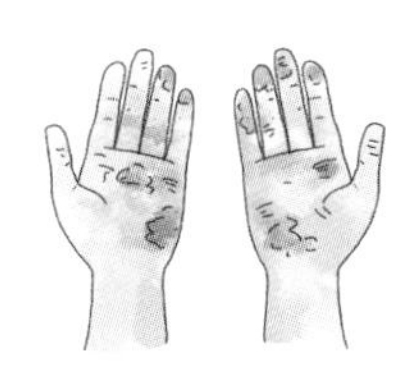

교과서

- Your hands are dirty. Go wash your hands.
  네 손이 더럽구나. 가서 손을 씻으렴.

top 나는 top이야~!

top이라고 하면 어떤 의미가 떠오르나요? 가장 먼저 떠오르는 생각이 '꼭대기, 정상'의 의미일 거예요.

top은 그 의미 외에도 다양한 뜻으로 사용되는 단어예요.

top의 다양한 의미를 사진과 함께 살펴볼까요?

After-Check 다음 영단어의 우리말 뜻을 쓰시오. | 정답 135쪽 |

1 hate ________
2 low ________
3 dirty ________
4 open ________
5 bite ________
6 burn ________
7 close ________
8 high ________
9 start ________
10 top ________

Study More Words 4

Pre-Check 학습 날짜 월 일

단어를 듣고, 뜻을 아는 단어에 ✓ 표시하세요.

- ☐ week
- ☐ month
- ☐ year
- ☐ new
- ☐ today
- ☐ fire
- ☐ turn
- ☐ line
- ☐ dark
- ☐ lie

DAY 30

Study More Words 4

291 **week** 주, 일주일

회화 필수

• I'll go camping next week.
나는 다음 주에 캠핑을 갈 거야.

292 **month** 달, 월

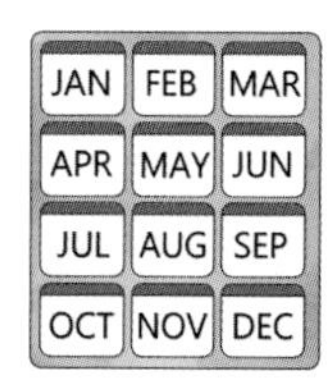

293 **year** 1 해, 년 2 나이, ~살

교과서

• I'm ten years old.
나는 열 살이야.

294 **new** 새로운

회화 필수

• Happy new year!
새해 복 많이 받으세요!

295 **today** 오늘

교과서

• Today is my birthday.
오늘은 내 생일이다.

Listen & Check
1 2 3 4

296 **fire** 화재, 불

297 **turn** 돌다, 돌리다

회화 필수

- Turn left at the corner.
  모퉁이에서 왼쪽으로 돌아라.

298 **line** 1 줄, 선 2 줄을 서다

교과서

- Line up, please.
  줄을 서세요.

299 **dark** 어두운

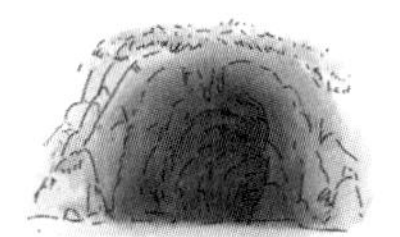

300 **lie** 1 누워 있다 2 거짓말, 거짓말하다

year 새해 복 많이 받으세요~

HAPPY New YEAR!

새로운 한 해가 시작되면 새해 인사로 "새해 복 많이 받으세요!"라고 말하죠.

이 말에 해당하는 영어 표현은 "Happy new year!"입니다.

year는 '년, 해'의 의미이므로 앞에 붙는 말에 따라 올해, 작년, 내년 등 다양한 의미를 나타낼 수 있어요.

- this year (올해)
- last year (작년)
- next year (내년)

내년에는 더 멋진 모습으로 다시 만나요~!

After-Check 다음 영단어의 우리말 뜻을 쓰시오. | 정답 135쪽 |

1 fire	______	6 month	______
2 week	______	7 year	______
3 lie	______	8 turn	______
4 dark	______	9 new	______
5 line	______	10 today	______

After-Check
정답

DAY 01

1 손	2 입	3 몸	4 얼굴	5 목
6 발	7 코	8 머리	9 눈	10 이, 이빨

DAY 02

1 행복한	2 만지다	3 보다	4 자랑스러운	5 듣다
6 화난	7 ~한 냄새가 나다	8 느끼다	9 맛이 ~하다	10 슬픈

DAY 03

1 영리한, 똑똑한	2 예의 바른, 공손한	3 게으른	4 재미있는	5 수줍어하는
6 지혜로운, 현명한	7 친절한	8 예의 없는, 버릇없는	9 용감한	10 정직한

DAY 04

1 앉다　2 씻다　3 오다　4 먹다

5 1 놀다 2 (게임, 운동 등을) 하다 3 (악기를) 연주하다　6 서다　7 말하다

8 (잠을) 자다　9 가다　10 (잠에서) 깨다

DAY 05

1 알약	2 약한, 힘이 없는	3 피곤한	4 아픔, 고통	5 병원
6 튼튼한, 힘센	7 아픈	8 기침하다	9 건강한	10 병

DAY 06

1 언니, 누나, 여동생 2 (외)삼촌, 고모부, 이모부 3 어머니
4 형, 오빠, 남동생 5 할머니 6 아버지 7 아들
8 고모, 이모, (외)숙모 9 할아버지 10 딸

DAY 07

1 여자 2 돕다 3 아기 4 친구
5 소년, 남자아이 6 소녀, 여자아이 7 만나다 8 아이 9 남자
10 1 부부, 남녀 2 두 개, 두 사람

DAY 08

1 꿈, 꿈을 꾸다 2 소방관 3 간호사 4 농부 5 교사, 선생님
6 의사 7 피아니스트 8 가수 9 미래, 장래 10 무용수, 댄서

DAY 09

1 곱슬곱슬한 2 젊은, 어린 3 1 키가 작은 2 (길이가) 짧은 4 날씬한
5 키가 큰 6 못생긴 7 아름다운 8 뚱뚱한
9 1 늙은 2 나이가 ~인 10 귀여운

DAY 10

1 코트, 외투 2 입고 있다 3 스웨터 4 치마 5 신발
6 재킷 7 모자 8 양말 9 1 바지 2 팬티 10 셔츠

DAY 11

1 우유 2 사과 3 케이크 4 1 마시다 2 음료 5 물
6 배고픈 7 달걀 8 음식 9 1 배부른 2 가득 찬 10 빵

DAY 12

1 지하철 2 비행기 3 1 멈추다 2 정류장 4 자동차, 차 5 배, 선박
6 걷다 7 1 (교통수단을) 타다 2 (사진을) 찍다 8 버스 9 기차
10 자전거

DAY 13

1 파란색 2 초록색 3 정사각형 4 흰색 5 원, 동그라미
6 색깔 7 검정색 8 삼각형 9 노란색 10 빨간색

DAY 14

1 여섯, 6 2 셋, 3 3 아홉, 9 4 하나, 1 5 여덟, 8
6 둘, 2 7 넷, 4 8 일곱, 7 9 열, 10 10 다섯, 5

DAY 15

1 아래에 2 (~의) 밖에, ~ 밖으로 3 오른쪽, 오른쪽으로
4 뒤에 5 가까운, 가까이에 6 먼, 멀리에 7 (~의) 안에, ~ 안으로
8 왼쪽, 왼쪽으로 9 앞쪽에 10 위쪽에

DAY 16

1	화요일	2	아침, 오전	3	금요일	4	일요일	5	밤, 야간
6	목요일	7	수요일	8	오후	9	토요일	10	월요일

DAY 17

1	문	2	계단	3	벨, 초인종	4	지붕	5	벽
6	창문	7	집, 주택	8	정원	9	바닥	10	방

DAY 18

1	의자	2	소파	3	거울	4	탁자, 테이블	5	램프, 등
6	침대	7	책상	8	시계	9	비누	10	수건

DAY 19

1	1 학급, 반 2 수업	2	학생	3	읽다	4	상, 상품	5	쓰다
6	숙제	7	운동장	8	공부하다	9	가르치다	10	교실

DAY 20

1	연필	2	교과서	3	책	4	펜	5	풀
6	지우개	7	가위	8	가방	9	공책	10	자

DAY 21

1 1 가게, 상점 2 쇼핑하다
2 사다, 구입하다
3 선택하다, 고르다
4 동전
5 가게, 상점
6 팔다
7 돈
8 1 바꾸다 2 잔돈
9 가격
10 1 판매 2 세일, 할인 판매

DAY 22

1 도서관
2 공항
3 농장
4 박물관
5 은행
6 시장
7 식당
8 동물원
9 공원
10 교회

DAY 23

1 시원한
2 비가 오는
3 1 추운, 차가운 2 감기
4 눈이 오는
5 더운, 뜨거운
6 따뜻한
7 화창한
8 무지개
9 바람 부는
10 흐린

DAY 24

1 여름
2 마른, 건조한
3 겨울
4 녹다, 녹이다
5 가을
6 젖은, 습한
7 공기, 대기
8 봄
9 얼음
10 바람

DAY 25

1 고양이
2 뱀
3 사자
4 물고기
5 돼지
6 곰
7 개미
8 박쥐
9 개
10 오리

DAY 26

1 육지, 땅　2 구름　3 꽃　4 강　5 하늘
6 들판　7 호수　8 산　9 나무　10 바다

DAY 27

1 주다　2 긴　3 잡다　4 이야기　5 가족
6 작은　7 기다리다　8 1 가지다 2 먹다, 마시다　9 왕
10 큰

DAY 28

1 자르다　2 이름　3 시작하다　4 하다　5 만들다
6 깊은　7 1 열심히 2 단단한　8 뛰다, 달리다　9 나이　10 병

DAY 29

1 싫어하다, 미워하다　2 낮은, 낮게　3 더러운　4 열다　5 물다
6 1 타다 2 데다　7 닫다　8 높은, 높이　9 시작하다
10 맨 위, 꼭대기

DAY 30

1 화재, 불　2 주, 일주일　3 1 누워 있다 2 거짓말, 거짓말하다　4 어두운
5 1 줄, 선 2 줄을 서다　6 달, 월　7 1 해, 년 2 나이, ~살
8 돌다, 돌리다　9 새로운　10 오늘

INDEX
어휘 목록

F

G

H

I

J

K

L

M

MEMO

MEMO

MEMO

이 책을 검토해 주신 선생님

강원

김민경 GnB어학원 부안캠퍼스학원
김현경 플러스일등해법학원
이상훈 아이다움+
이지예 에듀플렉스

경기

권응경 애니랑영어
김나연 습관영어
김미혜 SG에듀
김윤경 전문과외
김종문 유타스학원
김진희 하이노크 영어학원
김현영 영스타영어
김혜연 하나영어교습소
박미정 홍수학영어전문학원
박민희 Irene English
박서현 EiE고려대학교국제어학원 여주영어학원
박해림 라온영어수학보습학원
서현주 집현전학원(조암)
심수정 아이비리그영어 학원
안나경 대선초등학교
염지민 전문과외
오동산 이랩스영어학원
오성희 달보드레영어
오수혜 훈에듀라하잉글리시
우경숙 스마트해법영어당수교습소
유은경 여호수아비전아카데미
이경선 철산초등학교
이수주 푸르넷아카데미
이신애 스카이 영어 교습소
이은진 광정초등학교
이주현 웅진정자학원
이푸름 EiE 부천중동반석캠퍼스
이혜랑 Perfect Point+
이혜령 해봄학원
장도연 3030영어배곧한울점
장서희 메트로자이교실
장은주 휘 잉글리쉬
전경식 리드앤톡전쌤영어학원
정인하 뮤엠영어 별가람점
주지은 JIEUN ENGLISH CLASS
최수경 EM공터영어 오전점
최승원 전문과외
하이디 삼성영어 비룡교습소
함기수 스피킹에이펙스 영어학원
홍희진 남양 아토즈 영어학원

경남

강지윤 창원 외동초등학교
김문명 생각쑥쑥공부방
박영하 네오시스템 영어학원
성민경 에듀베스트학원
신진아 어방초등학교
윤지연 에이프릴 유진학원
이아현 다름학원 관동캠퍼스
임나영 삼성영어 창원남양
전미주 엠제이영어
황다영 헤럴드어학원

경북

이효정 뮤엠구평영어교습소
정하윤 전문과외
허미정 레벨업 영어교습소

광주

최보람 보람영어교습소

대구

도라연 캐슬어학원
박정임 전문과외
장지영 전문과외
황보라 브릿지영어

대전

김기숙 하이클래스학원
여유경 서대전초등학교
우아미 대전화정초등학교
우채령 관저아인스학원
최지흔 플랫폼어학원

부산

강민주 당리전성학원
김경민 밍글리시
김은숙 강동초등학교
도영희 전문과외
문지영 우리들학원
박가경 메리쌤잉글리쉬
박나은 두실초등학교
변혜련 전문과외
양희주 링구아어학원
윤경은 쌤드루
윤진희 전문과외
임정연 유니크잉글리쉬
정은지 센텀영어
추호정 Wonders 원더스 어학원

서울

고진우 대치엠영어학원
공은성 서울교육대학교부설초등학교
구지은 최선메이트 본사
김빛나 뮤엠영어피닉스영어교습소
김세인 북성초등학교
김은영 루시아잉글리시
김정민 최선어학원
김지혜 케이씨티학원
김진희 지니영어학원
도혜민 씨앤씨(목동)
문지선 키맨학원
박선신 전문과외
박수정 YBM잉글루 은평 은명 제1캠퍼스
손보경 서울세곡초등학교
신세영 에이스원영어학원
심민 라인보습학원
오남숙 헬리오 오쌤 영어
우정용 제임스 영어 앤드 학원
유경미 무무&차
유현정 서울공덕초등학교
윤지인 반포잉글리쉬튜터링
이윤우 KNS어학원
임소례 윤선생영어교실우리집앞 신내키움영어교습소
정인애 서울삼각산초등학교
최세영 서울잠원초등학교
편선경 IGSE Academy
하다님 연세 마스터스 학원
허미영 삼성영어 창일교실 학원
황선애 앤스영어학원

세종

이지현 전문과외
이초롱 로지나 잉글리쉬
최정아 해들리드인영수학원

울산

김효주 옥동멘토영어수학학원

인천

서유화 K&C American School
송정은 전문과외
원정연 공탑학원
채윤정 인천부광초등학교
최자윤 인천부평남초등학교

전남

서창현 목포발명교육센터
이영복 미라클스터디영어교습소

전북

김지윤 전주SLP
민태홍 전주한일고등학교
임주리 삼천주니어랩영어학원
천희은 전주자연초등학교

제주

이예은 명륜아카데미

충남

이규영 온양중앙초등학교
이슬기 청룡GnB어학원
임도원 강한영어

충북

남화정 오키도키영어
라은경 이화윤스영어교습소
이사랑 동화세상에듀코
함소영 함소영학원

Word 초등
master
BASIC

이투스북

Word ∞ master 초등

BASIC

WORK BOOK

- 초등 교과서, 교육과정, 회화 필수 어휘 300개 엄선 수록
- DAY별 3단계로 단어 완벽 체득

STEP 1 단어 쓰기 | 단어 쓰기 연습을 통한 철자 학습

STEP 2 문장 익히기 | 교과서 예문, 회화 필수 문장으로 영작 연습

STEP 3 문제 풀기 | 재미있고 다양한 문제 풀이

워드마스터 초등 BASIC Workbook 202211 초판 1쇄 202411 초판 6쇄
펴낸곳 이투스에듀㈜ 서울시 서초구 남부순환로 2547
고객센터 1599-3225
등록번호 제2007-000035호

Word ∞ master 초등

BASIC

WORKBOOK

차례 및 학습계획표

학습일

다음 영어 단어를 써 보세요.

body body

몸

head head

머리

face face

얼굴

eye eye

눈

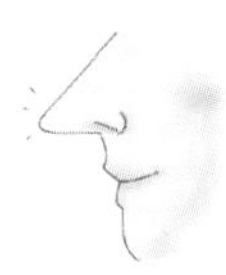

nose nose

코

mouth mouth

입

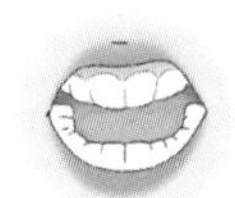

tooth tooth

이, 이빨 ⊕ tooth: (한 개의) 이 teeth: (두 개 이상의) 이

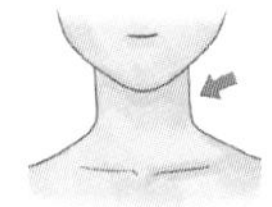

neck neck

목

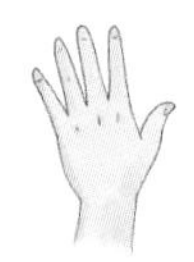

hand hand

손

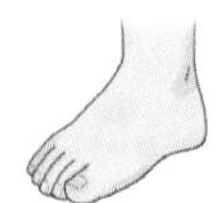

foot foot

발 ⊕ foot: (한) 발 feet: (두) 발

● 다음 필수 문장을 듣고 따라 읽은 후, 문장을 만들어 말해 보세요.

A She has beautiful eyes.

그녀는 눈이 예쁘다. 회화필수

She has a beautiful ____________.

그녀는 코가 예쁘다.

She has a beautiful ____________.

그녀는 입이 예쁘다.

B Open your mouth. 교과서

입을 벌리세요.

Open your ____________s.

눈을 뜨세요.

Open your ____________s.

손을 펼쳐 보세요.

C Brush your teeth before bed. 회화필수

잠자리에 들기 전에 이를 닦으세요.

Brush your ____________.

머리를 빗으세요.

* hair: 머리카락

D Wash your hands. 교과서

손을 씻으세요.

Wash your ____________.

얼굴을 씻으세요.

Wash your ____________.

몸을 씻으세요.

DAY 01 Body 몸

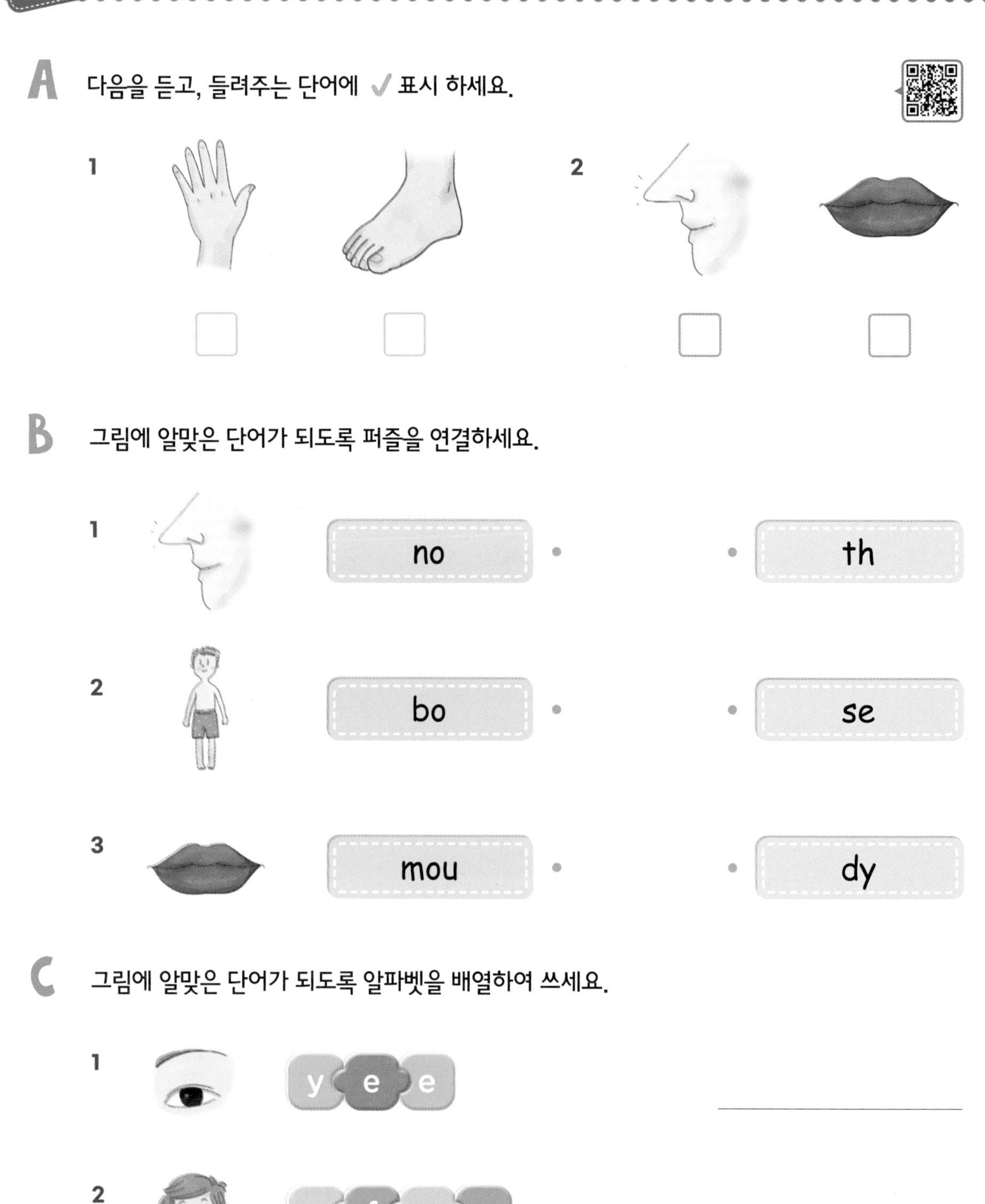

A 다음을 듣고, 들려주는 단어에 ✓ 표시 하세요.

1

2

B 그림에 알맞은 단어가 되도록 퍼즐을 연결하세요.

1 no • • th

2 bo • • se

3 mou • • dy

C 그림에 알맞은 단어가 되도록 알파벳을 배열하여 쓰세요.

1 y e e ______________

2 e f c a ______________

3 o h t o t ______________

D 우리말 뜻에 맞는 단어를 찾아 동그라미 하고 쓰세요.

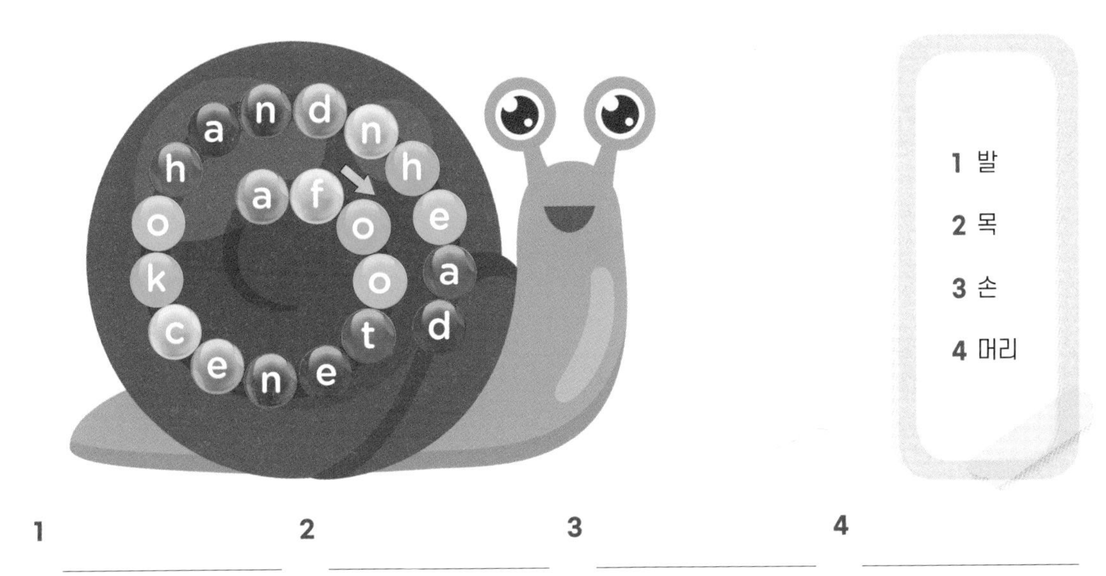

1 ______ 2 ______ 3 ______ 4 ______

E 그림을 알맞게 표현한 문장에 ✓ 표시 하세요.

● 다음 영어 단어를 써 보세요.

see see

보다

listen listen

듣다

smell smell

~한 냄새가 나다

taste taste

맛이 ~하다

touch touch

만지다

feel feel

느끼다

sad sad

슬픈

happy happy

행복한

angry angry

화난

proud proud

자랑스러운

● 다음 필수 문장을 듣고 따라 읽은 후, 문장을 만들어 말해 보세요.

A It smells good. (회화필수)

좋은 냄새가 난다.

It ______________s good.

좋은 맛이 난다.

It ______________s good.

좋은 느낌이 든다.

B Don't touch. (교과서)

만지지 마.

Don't ______________.

보지 마.

Don't ______________.

듣지 마.

C I am sad. (교과서)

나는 슬퍼.

I am ______________.

나는 행복해.

I am ______________.

나는 화났어.

D Are you angry? (교과서)

너 화났니?

Are you ______________?

너 슬프니?

Are you ______________?

너 자랑스럽니?

A 다음을 듣고, 들려주는 단어에 ✓ 표시 하세요.

1

2

B 그림에 알맞은 단어가 되도록 알파벳을 배열하여 쓰세요.

1 

____

2 

____

3 

____

C 그림에 알맞은 단어가 되도록 빈칸에 공통으로 들어갈 알파벳을 쓰세요.

1 

tast ☐

2 

happ ☐

angr ☐

3 

to ☐ ch

pro ☐ d

D 사다리를 타고 내려가서 우리말 뜻에 맞는 단어를 쓰세요.

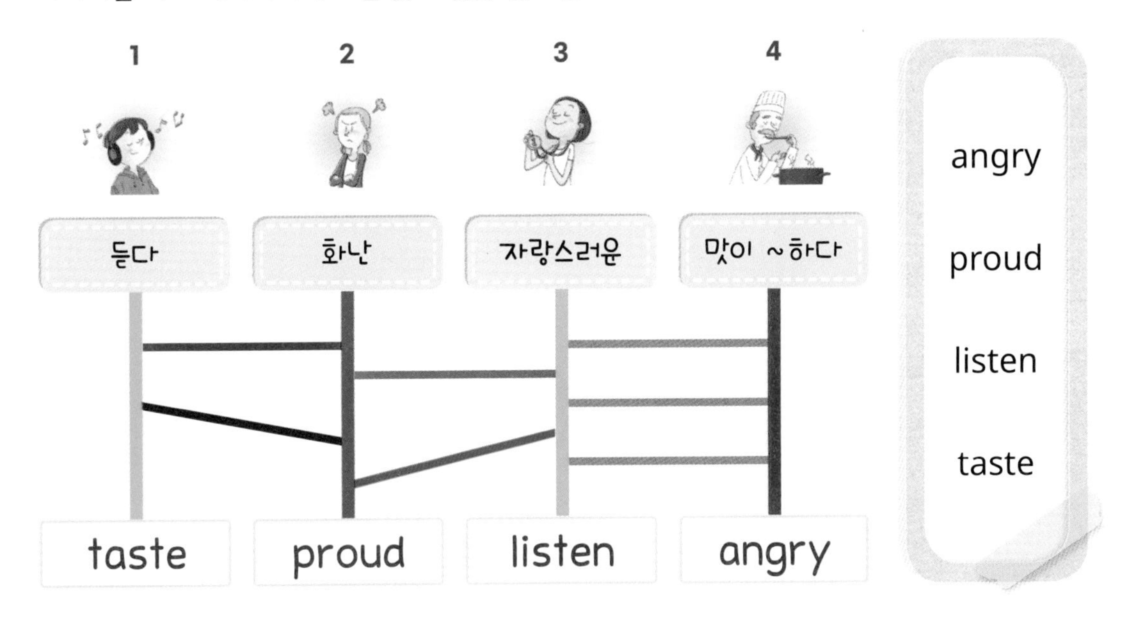

E 그림을 알맞게 표현한 문장에 ✓ 표시 하세요.

1

- [ ] Don't listen.
- [ ] Don't touch.

2

- [ ] I am sad.
- [ ] I am happy.

Personality 성격

STEP 1 단어 쓰기

◉ 다음 영어 단어를 써 보세요.

kind kind

친절한

shy shy

수줍어하는

funny funny

재미있는

clever clever

영리한, 똑똑한

brave brave

용감한

lazy lazy

게으른

wise wise

지혜로운, 현명한

honest honest

정직한

rude rude

예의 없는, 버릇없는

polite polite

예의 바른, 공손한

다음 필수 문장을 듣고 따라 읽은 후, 문장을 만들어 말해 보세요.

A You're so kind. 교과서

너는 정말 친절하다.

You're so ________________.

너는 정말 재미있다.

You're so ________________.

너는 정말 용감하다.

B My brother is lazy. 교과서

내 남동생은 게으르다.

My brother is ________________.

내 남동생은 수줍어한다.

My brother is ________________.

내 남동생은 영리하다.

C She is honest. 교과서

그녀는 정직하다.

She is ________________.

그녀는 예의 바르다.

She is ________________.

그녀는 지혜롭다.

A 다음을 듣고, 들려주는 단어에 ✓ 표시 하세요.

B 그림에 알맞은 단어가 되도록 퍼즐을 연결하세요.

C 그림에 알맞은 단어가 되도록 알파벳을 찾아 동그라미 하세요.

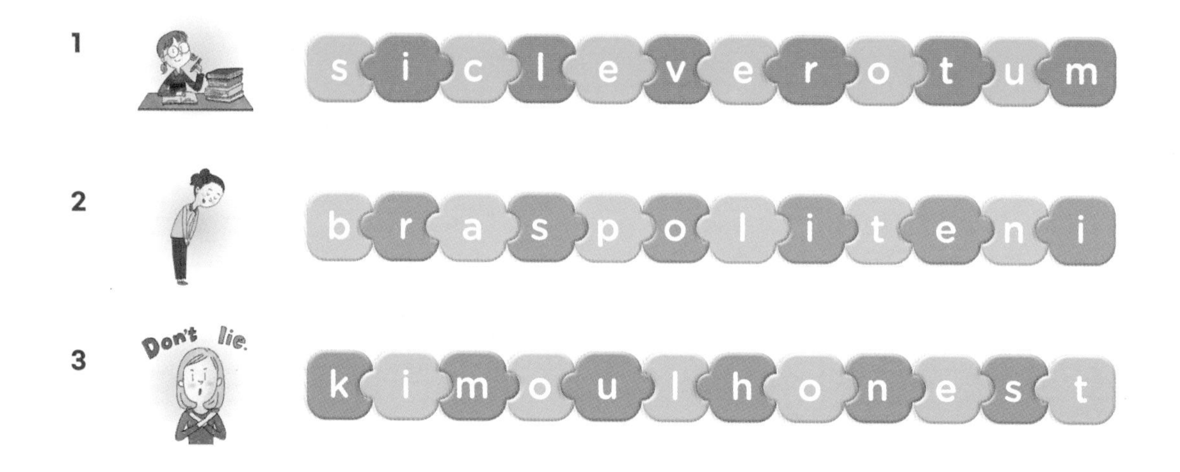

D 미로를 찾아 나가면서 그림에 알맞은 단어에 동그라미 하세요.

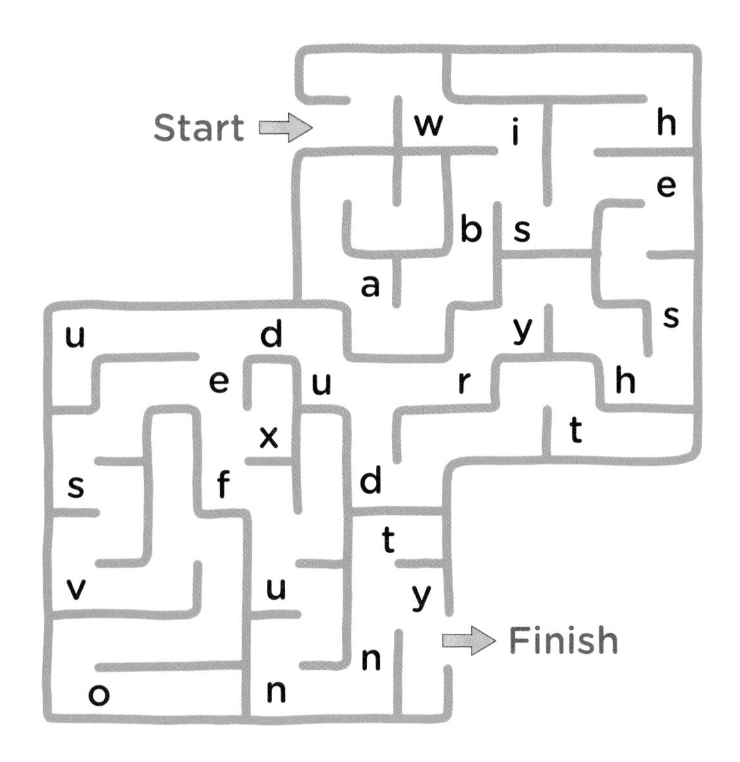

E 그림을 알맞게 표현한 문장에 ✓ 표시 하세요.

1

- [ ] My brother is lazy.
- [ ] My brother is clever.

2

- [ ] She is shy.
- [ ] She is brave.

다음 영어 단어를 써 보세요.

sleep sleep

(잠을) 자다

wake up wake up

(잠에서) 깨다

wash wash

씻다

eat eat

먹다

go go

가다

come come

오다

play play

1. 놀다 2. (게임, 운동 등을) 하다 3. (악기를) 연주하다

talk talk

말하다

sit sit

앉다

stand stand

서다

다음 필수 문장을 듣고 따라 읽은 후, 문장을 만들어 말해 보세요.

A Don't eat here. 교과서

여기서 먹지 마세요.

Don't ______________ here.

여기서 놀지 마세요.

Don't ______________ here.

여기서 잠을 자지 마세요.

B Come here. 교과서

여기로 오세요.

______________ here.

여기서 씻으세요.

______________ here.

여기서 노세요.

C Let's play outside. 교과서

밖에서 놀자.

Let's ______________ outside.

밖으로 나가자.

Let's ______________ outside.

밖에서 말하자.

D Stand up, please. 교과서

일어나 주세요.

______________ down, please.

앉아 주세요.

A 다음을 듣고, 들려주는 단어에 ✓ 표시 하세요.

1

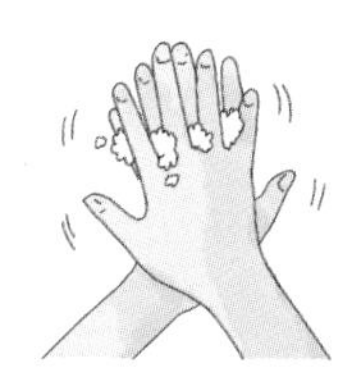

□ □

2

□ □

B 주어진 단어와 뜻이 반대인 단어를 연결하세요.

1 

• • come

2 

• • stand

3 

• • wake up

C 다음과 같이 그림에 알맞은 단어가 되도록 알파벳을 연결하세요.

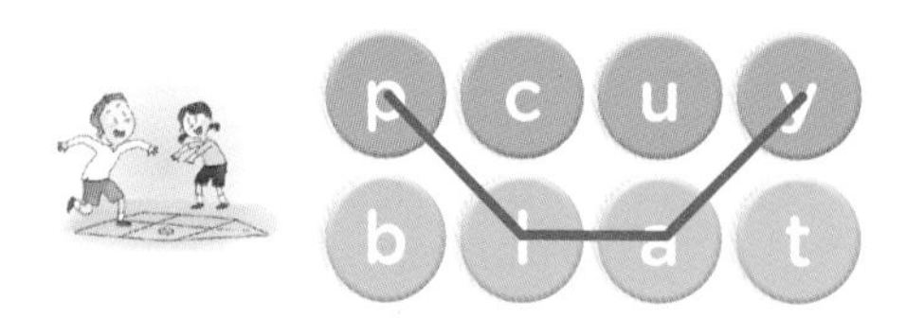

1

2

3

D 우리말 뜻에 맞게 퍼즐의 빈칸에 알맞은 단어를 쓰세요.

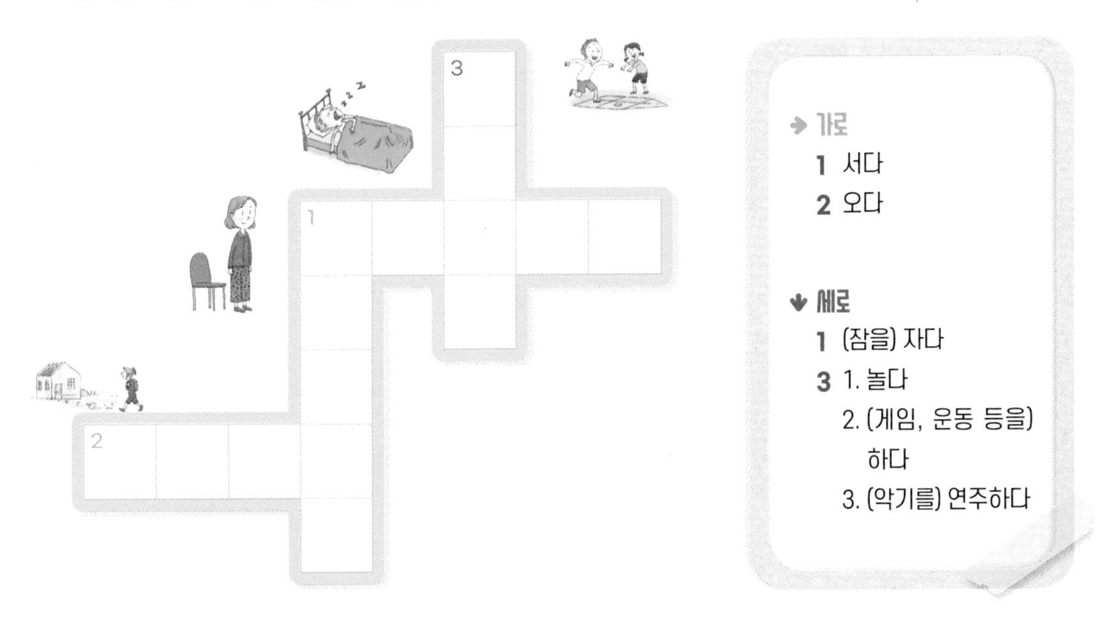

➔ 가로
1 서다
2 오다

↓ 세로
1 (잠을) 자다
3 1. 놀다
2. (게임, 운동 등을) 하다
3. (악기를) 연주하다

E 그림을 알맞게 표현한 문장에 ✓ 표시 하세요.

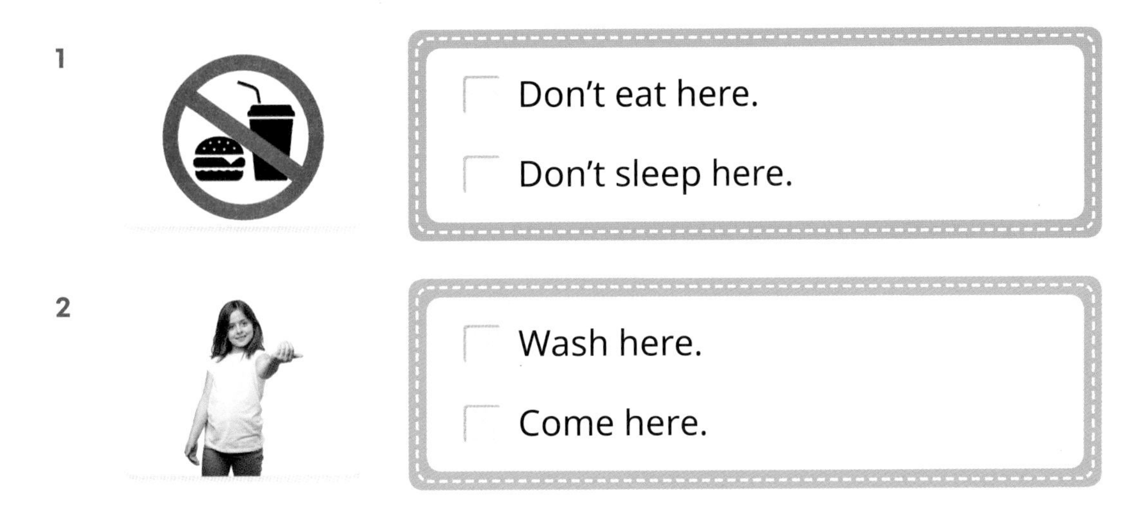

1
- ☐ Don't eat here.
- ☐ Don't sleep here.

2
- ☐ Wash here.
- ☐ Come here.

Health 건강

STEP 1 단어 쓰기

◉ 다음 영어 단어를 써 보세요.

weak weak

약한, 힘이 없는

strong strong

튼튼한, 힘센

sick sick

아픈

healthy healthy

건강한

tired tired

피곤한

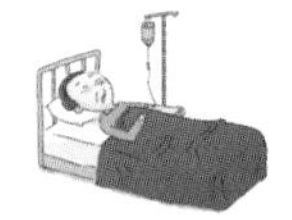

illness illness

병

pain pain

아픔, 고통

cough cough

기침하다

pill pill

알약

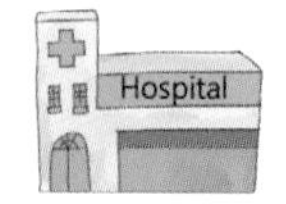

hospital hospital

병원

◉ 다음 필수 문장을 듣고 따라 읽은 후, 문장을 만들어 말해 보세요.

A How strong! 교과서

정말 힘이 세구나!

How ______________!

정말 건강하구나!

How ______________!

정말 게으르구나!

B My sister is sick. 교과서

나의 언니가 아파.

My sister is ______________.

나의 언니가 피곤해.

My sister is ______________.

나의 언니가 아파.

* ill: 아픈

C I am tired. 교과서

나는 피곤해.

I am ______________.

나는 약해.

A 다음을 듣고, 들려주는 단어에 ✓ 표시 하세요.

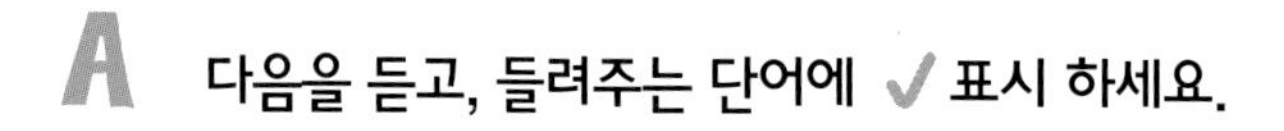

1

 ☐

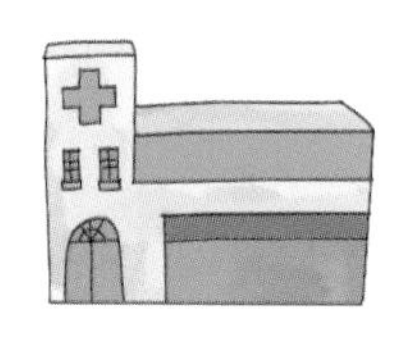 ☐

2

☐

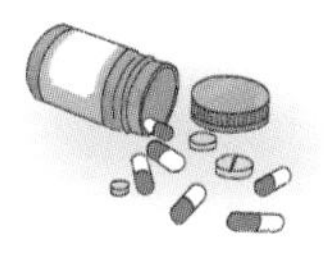 ☐

B 주어진 단어와 뜻이 반대인 단어를 연결하세요.

1  weak • • healthy

2  sick • • strong

C 그림에 알맞은 단어가 되도록 빈칸에 들어갈 알파벳을 찾아 쓰세요. (중복 사용 가능)

1 p☐ll

2 p☐in

3 illn☐ss

4 h☐spit☐l

D 사다리를 타고 내려가서 우리말 뜻에 맞는 단어를 쓰세요.

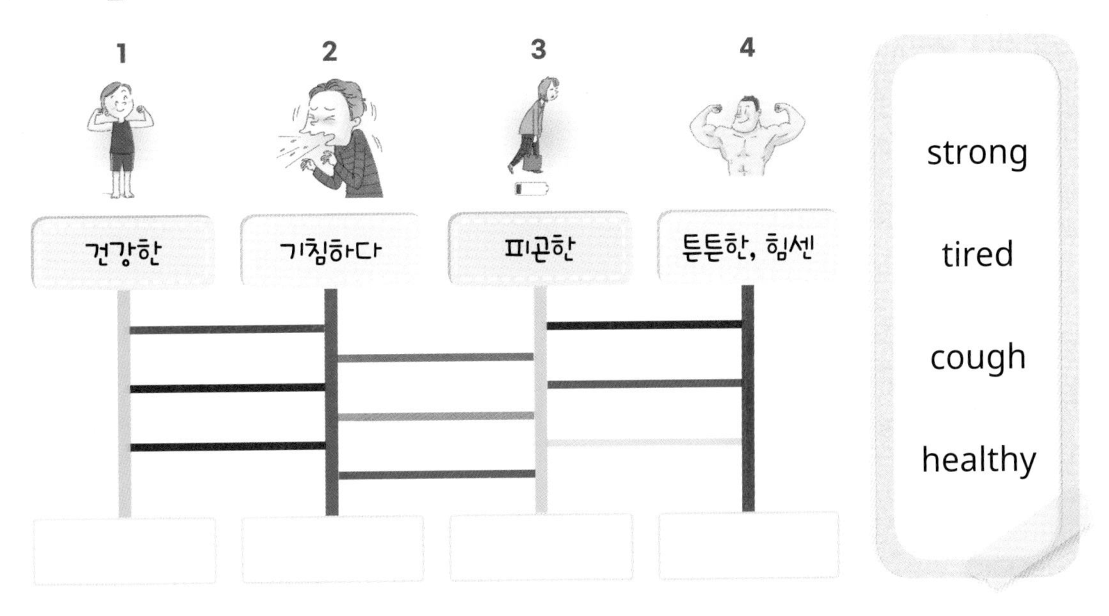

E 그림을 알맞게 표현한 문장에 ✓ 표시 하세요.

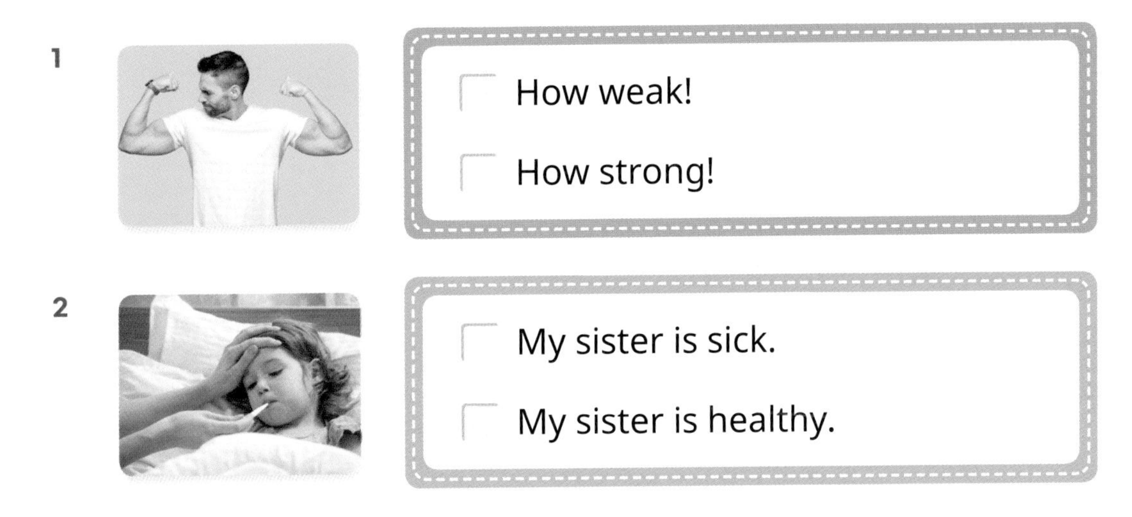

● 다음 영어 단어를 써 보세요.

father father
아버지(아빠)

mother mother
어머니(엄마)

grandfather grandfather
할아버지

grandmother grandmother
할머니

brother brother
형, 오빠, 남동생

sister sister
언니, 누나, 여동생

son son
아들

daughter daughter
딸

uncle uncle
(외)삼촌, 고모부, 이모부

aunt aunt
고모, 이모, (외)숙모

다음 필수 문장을 듣고 따라 읽은 후, 문장을 만들어 말해 보세요.

A This is my father. 교과서

이분은 나의 아버지셔.

This is my ______________.

이분은 나의 어머니셔.

This is my ______________.

이분은 나의 할머니셔.

B He's my grandfather. 교과서

그분은 나의 할아버지셔.

He's my ______________.

그는 나의 형이야.

He's my ______________.

그는 나의 사촌이야.

* cousin: 사촌

C She's my sister. 교과서

그녀는 나의 여동생이야.

She's my ______________.

그녀는 나의 딸이야.

She's my ______________.

그녀는 나의 숙모이셔.

D He is my uncle. 교과서

그분은 나의 삼촌이셔.

He is my ______________.

그는 나의 아들이야.

He is my ______________.

그분은 나의 아버지셔.

A 다음을 듣고, 들려주는 단어에 ✓ 표시 하세요.

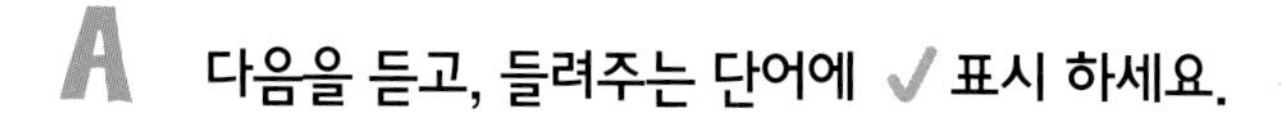

1

☐ ☐

2

☐ ☐

B 가족 그림에서 구성원에 알맞은 단어를 쓰세요.

mother

daughter

son

C 그림에 알맞은 단어가 되도록 알파벳을 찾아 동그라미 하세요.

1

2

3

g r a n d m o t h e r o

D 우리말 뜻에 맞는 단어를 찾아 동그라미 하고 쓰세요.

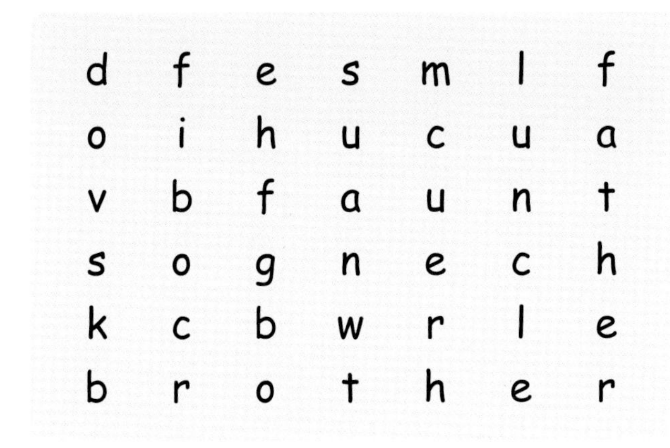

→ 가로
1 고모, 이모, (외)숙모
2 형, 오빠, 남동생

↓ 세로
3 (외)삼촌, 고모부, 이모부
4 아버지

1 ____________ 2 ____________ 3 ____________ 4 ____________

E 그림을 알맞게 표현한 문장에 ✓ 표시 하세요.

1

- [ ] This is my father.
- [ ] This is my mother.

2

- [ ] She is my sister.
- [ ] He is my brother.

다음 영어 단어를 써 보세요.

baby baby

아기

kid kid

아이

boy boy

소년, 남자아이

girl girl

소녀, 여자아이

friend friend

친구

man man

남자

woman woman

여자

couple couple

1. 부부, 남녀 2. 두 개, 두 사람

meet meet

만나다

help help

돕다

● 다음 필수 문장을 듣고 따라 읽은 후, 문장을 만들어 말해 보세요.

A Look at the cute baby.

귀여운 아기를 봐. (회화필수)

Look at the cute ________.

귀여운 소년을 봐.

Look at the cute ________.

귀여운 소녀를 봐.

B This is my friend, Jina.

이 애는 내 친구 지나야. (교과서)

This is my ________, Jina.

이 애는 내 아기 지나야.

This is my ________, Jina.

이 애는 내 아이 지나야.

C Can you help me? (교과서)

나를 도와줄 수 있니?

Can you ________ me?

나를 만날 수 있니?

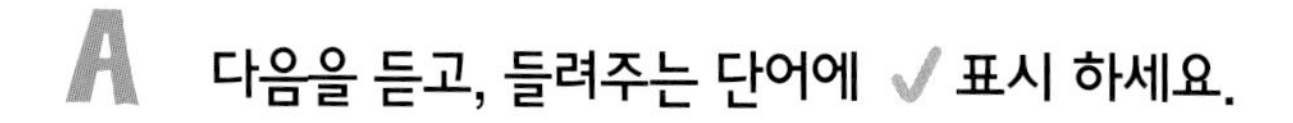

A 다음을 듣고, 들려주는 단어에 ✓ 표시 하세요.

1  □ □

2   □ □

B 단어를 알맞은 우리말 뜻과 연결하세요.

1	friend •	• 아이
2	kid •	• 만나다
3	meet •	• 친구

C 그림에 알맞은 단어가 되도록 빈칸에 들어갈 알파벳을 찾아 쓰세요.

1  

 irl

2  

□elp

3  

□ab□

D 미로를 찾아 나가면서 그림에 알맞은 단어에 동그라미 하세요.

E 문장을 알맞게 표현한 그림에 ✓ 표시 하세요.

1 Look at the cute baby.

2 Can you help me?

● 다음 영어 단어를 써 보세요.

future future

미래, 장래

dream dream

꿈, 꿈을 꾸다

teacher teacher

교사, 선생님

firefighter firefighter

소방관

singer singer

가수

dancer dancer

무용수, 댄서

doctor doctor

의사

nurse nurse

간호사

pianist pianist

피아니스트

farmer farmer

농부

● 다음 필수 문장을 듣고 따라 읽은 후, 문장을 만들어 말해 보세요.

A Are you a singer? 교과서

당신은 가수인가요?

Are you a ______________?

당신은 선생님인가요?

Are you a ______________?

당신은 소방관인가요?

B He's a doctor. 교과서

그는 의사이다.

He's a ______________.

그는 피아니스트이다.

He's a ______________.

그는 무용수이다.

C I'm a farmer. 교과서

나는 농부야.

I'm a ______________.

나는 가수야.

I'm a ______________.

나는 간호사야.

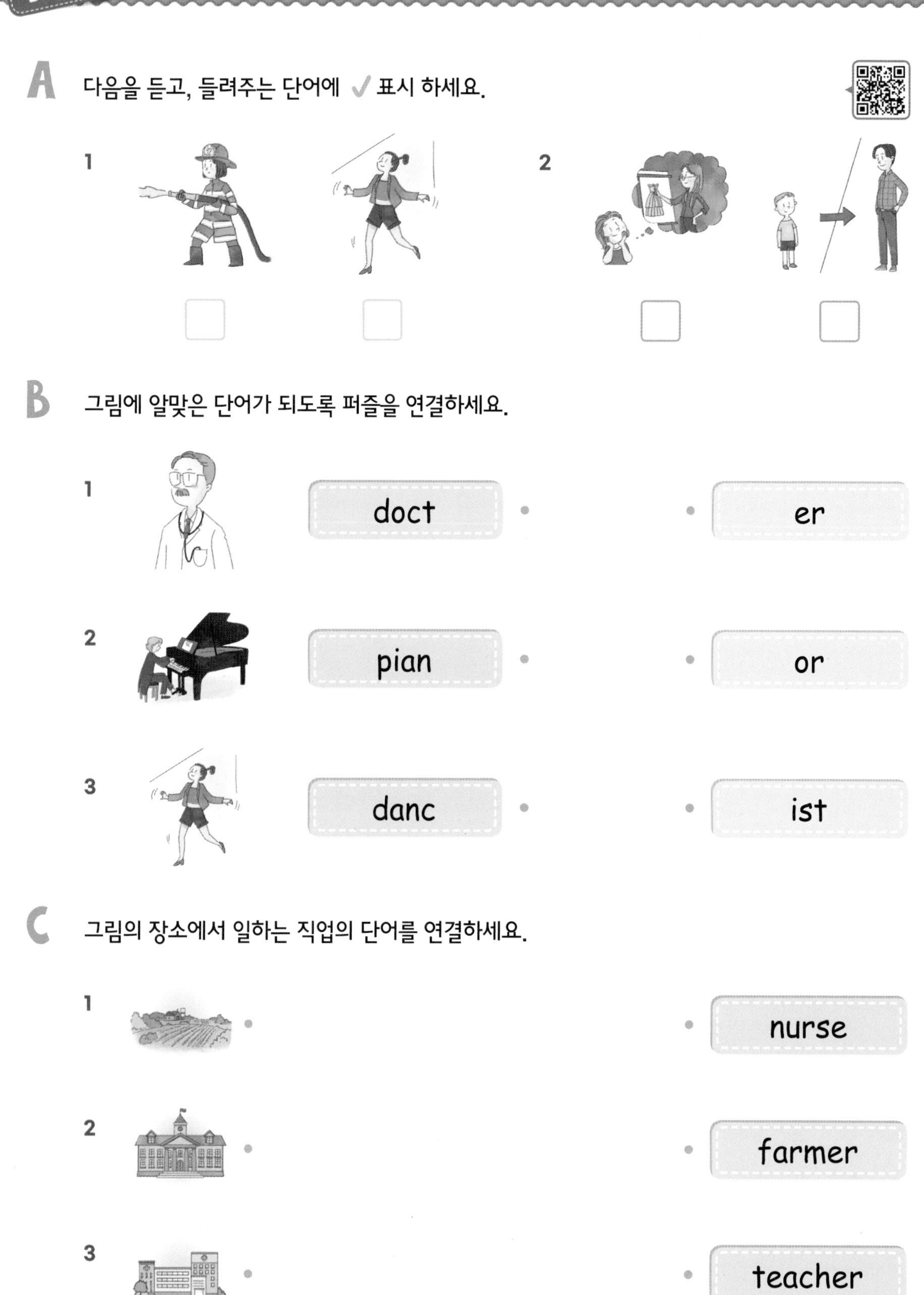

A 다음을 듣고, 들려주는 단어에 ✓ 표시 하세요.

1

2

B 그림에 알맞은 단어가 되도록 퍼즐을 연결하세요.

1 doct • • er

2 pian • • or

3 danc • • ist

C 그림의 장소에서 일하는 직업의 단어를 연결하세요.

1 • • nurse

2 • • farmer

3 • • teacher

D 우리말 뜻에 맞게 퍼즐의 빈칸에 알맞은 단어를 쓰세요.

E 그림을 알맞게 표현한 문장에 ✓ 표시 하세요.

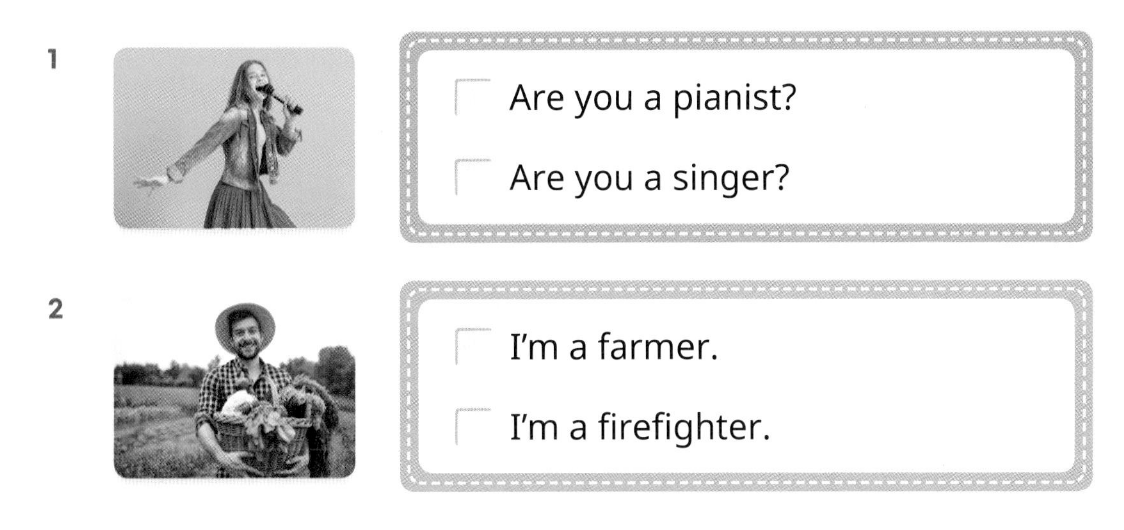

● 다음 영어 단어를 써 보세요.

tall tall

키가 큰

short short

1. 키가 작은 2. (길이가) 짧은

fat fat

뚱뚱한

slim slim

날씬한

young young

젊은, 어린

old old

1. 늙은 2. 나이가 ~인

cute cute

귀여운

beautiful beautiful

아름다운

ugly ugly

못생긴

curly curly

곱슬곱슬한

다음 필수 문장을 듣고 따라 읽은 후, 문장을 만들어 말해 보세요.

A The giraffe is tall. 교과서

기린은 키가 크다.

The giraffe is ______________.

기린은 날씬하다.

The giraffe is ______________.

기린은 어리다.

B A: How old are you?

너는 몇 살이니?
(너는 나이가 어떻게 되니?)

B: I'm ten years old.

나는 열 살이야. 회화필수

A: How ______________ are you?

너는 키가 어떻게 되니?

B: I'm 150 cm ______________.

나는 키가 150 cm야.

C The zebra is cute. 교과서

얼룩말은 귀엽다.

The zebra is ______________.

얼룩말은 뚱뚱하다.

The zebra is ______________.

얼룩말은 키가 작다.

DAY 09

Appearance 생김새

A 다음을 듣고, 들려주는 단어에 ✓ 표시 하세요.

B 주어진 단어와 뜻이 반대인 단어를 연결하세요.

C 그림에 알맞은 단어가 되도록 빈칸에 들어갈 알파벳을 찾아 쓰세요.

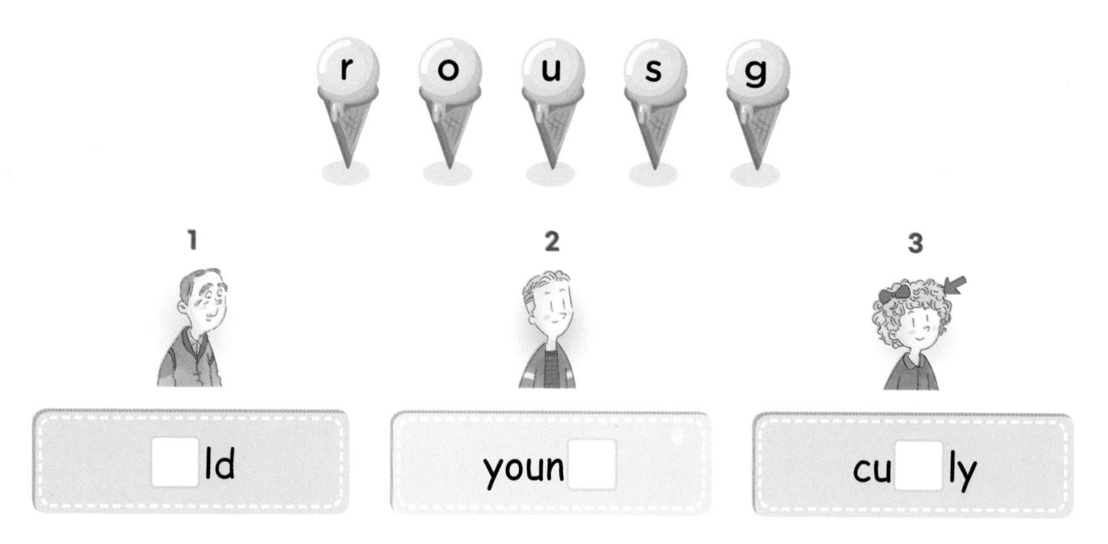

D 사다리를 타고 내려가서 우리말 뜻에 맞는 단어를 쓰세요.

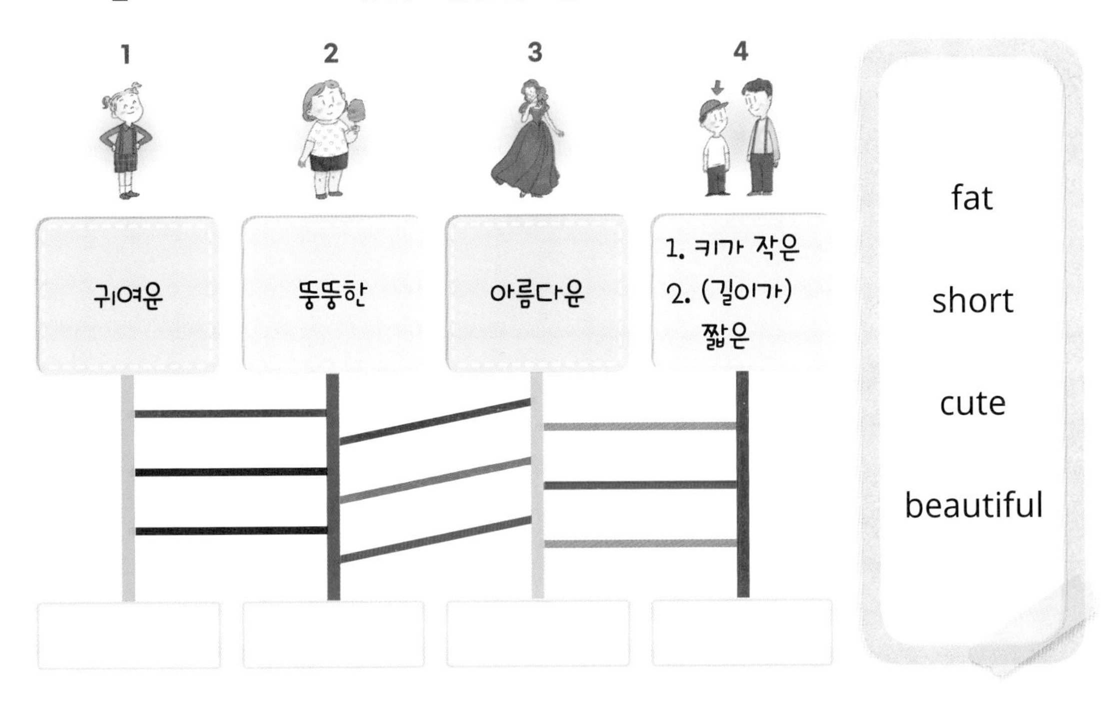

E 그림을 알맞게 표현한 문장에 ✓ 표시 하세요.

1

- [ ] The giraffe is tall.
- [ ] The giraffe is short.

2

- [ ] The zebra is cute.
- [ ] The zebra is curly.

Clothes 옷

STEP 1 단어 쓰기

◉ 다음 영어 단어를 써 보세요.

hat hat

모자

shirt shirt

셔츠

sweater sweater

스웨터

skirt skirt

치마

pants pants

1. 바지 2. 팬티

jacket jacket

재킷

coat coat

코트, 외투

sock sock

양말

shoe shoe

신발

wear wear

입고 있다

다음 필수 문장을 듣고 따라 읽은 후, 문장을 만들어 말해 보세요.

A It's a hat. 교과서
그것은 모자예요.

It's a ______________.
그것은 스웨터예요.

It's a ______________.
그것은 셔츠예요.

B I want this sweater.
나는 이 스웨터를 원해요. 교과서

I want this ______________.
나는 이 치마를 원해요.

I want this ______________.
나는 이 재킷을 원해요.

C I have a blue coat. 교과서
나는 파란색 외투가 있어요.

I have a blue ______________.
나는 파란색 모자가 있어요.

D We have new shoes.
우리는 새 신발이 있어요. 교과서

We have new ______________s.
우리는 새 양말이 있어요.

We have new ______________.
우리는 새 바지가 있어요.

A

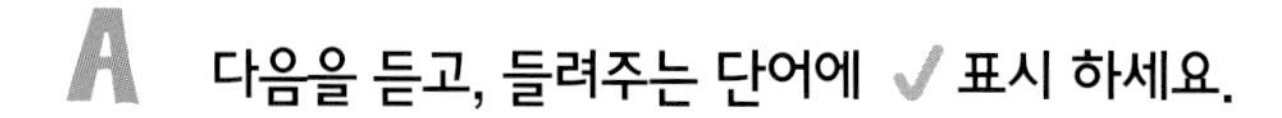

1  ☐ ☐

2  ☐ ☐

B 소녀 그림에서 가리키는 부분에 알맞은 단어를 쓰세요.

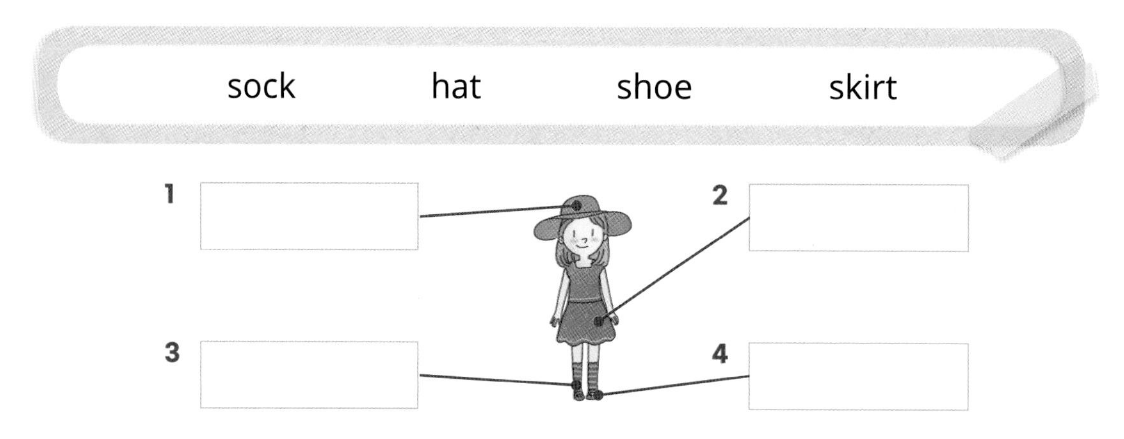

C 그림에 알맞은 단어가 되도록 알파벳을 배열하여 쓰세요.

1 

____

2  

____

3 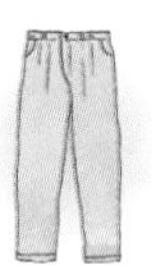 a n p s t
____

D 미로를 찾아 나가면서 만나는 그림의 단어를 순서대로 쓰세요.

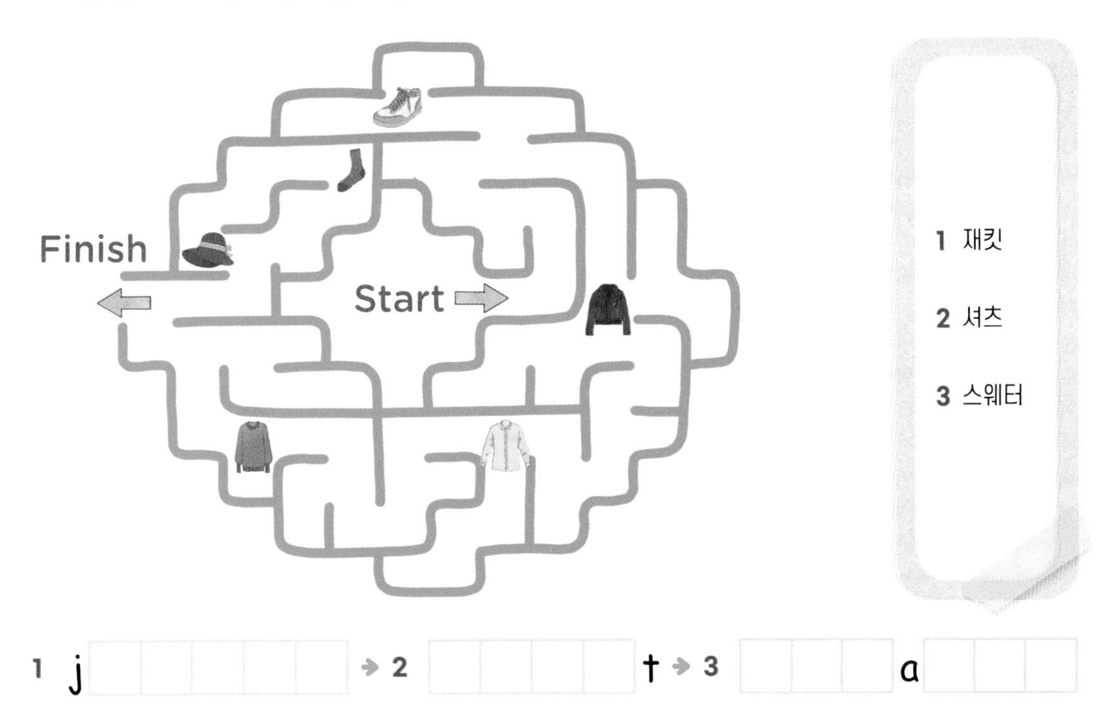

1 j _ _ _ _ _ → 2 _ _ _ _ t → 3 _ _ _ a _ _ _

E 그림을 알맞게 표현한 문장에 ✓ 표시 하세요.

1
- [ ] I have a blue hat.
- [ ] I have a blue coat.

2
- [ ] We have new socks.
- [ ] We have new shoes.

● 다음 영어 단어를 써 보세요.

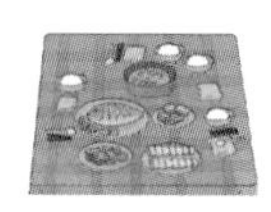

food food

음식

water water

물

milk milk

우유

bread bread

빵

apple apple

사과

egg egg

달걀

cake cake

케이크

full full

1. 배부른 2. 가득 찬

hungry hungry

배고픈

drink drink

1. 마시다 2. 음료

● 다음 필수 문장을 듣고 따라 읽은 후, 문장을 만들어 말해 보세요.

A I like milk. 교과서

나는 우유를 좋아해.

I like ______________.

나는 빵을 좋아해.

I like ______________s.

나는 케이크를 좋아해.

B Do you want some bread? 교과서

빵 좀 먹을래?

Do you want some ___________?

물 좀 마실래?

Do you want some ___________?

음식 좀 먹을래?

C How many apples? 교과서

사과가 몇 개니?

How many ______________s?

달걀이 몇 개니?

How many ______________s?

바나나가 몇 개니?

D I'm full. 회화필수

나 배불러.

I'm ______________.

나 배고파.

A 다음을 듣고, 들려주는 단어에 ✓ 표시 하세요.

1

□ □

2

□ □

B 그림에 알맞은 단어를 연결하세요.

1  • • cake

2  • • apple

3  • • egg

C 그림에 알맞은 단어가 되도록 빈칸에 들어갈 알파벳을 찾아 쓰세요.

1 

w□ter

2 

m□lk

3 

dri□k

D 우리말 뜻에 맞게 퍼즐의 빈칸에 알맞은 단어를 쓰세요.

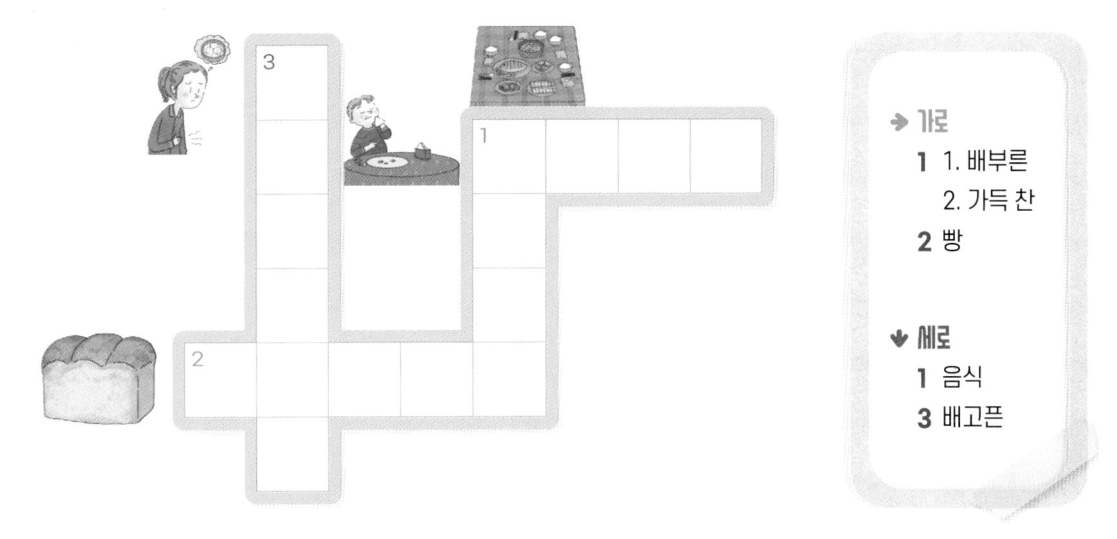

E 그림을 알맞게 표현한 문장에 ✓ 표시 하세요.

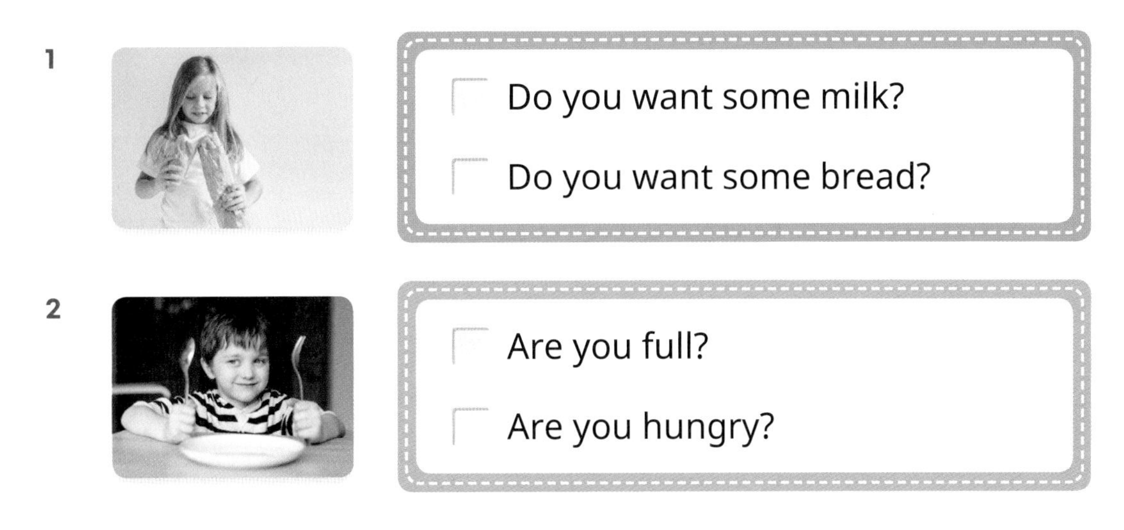

● 다음 영어 단어를 써 보세요.

car car

자동차, 차

bus bus

버스

ship ship

배, 선박

subway subway

지하철

train train

기차

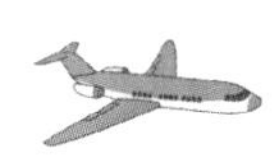

airplane airplane

비행기

bicycle bicycle

자전거

walk walk

걷다

take take

1. (교통수단을) 타다 2. (사진을) 찍다

stop stop

1. 멈추다 2. 정류장

다음 필수 문장을 듣고 따라 읽은 후, 문장을 만들어 말해 보세요.

A Let's get on the bus.
버스에 타자. 교과서

Let's get on the ________.
기차에 타자.

Let's get on the ________.
자동차에 타자.

B Take the subway. 교과서
지하철을 타라.

Take the ________.
비행기를 타라.

Take the ________.
배를 타라.

C Stop. Be careful. 교과서
멈춰. 조심해.

________ a picture.
사진을 찍어.

________ slowly.
천천히 걸어.

* slowly: 천천히

DAY 12 Vehicles 탈것

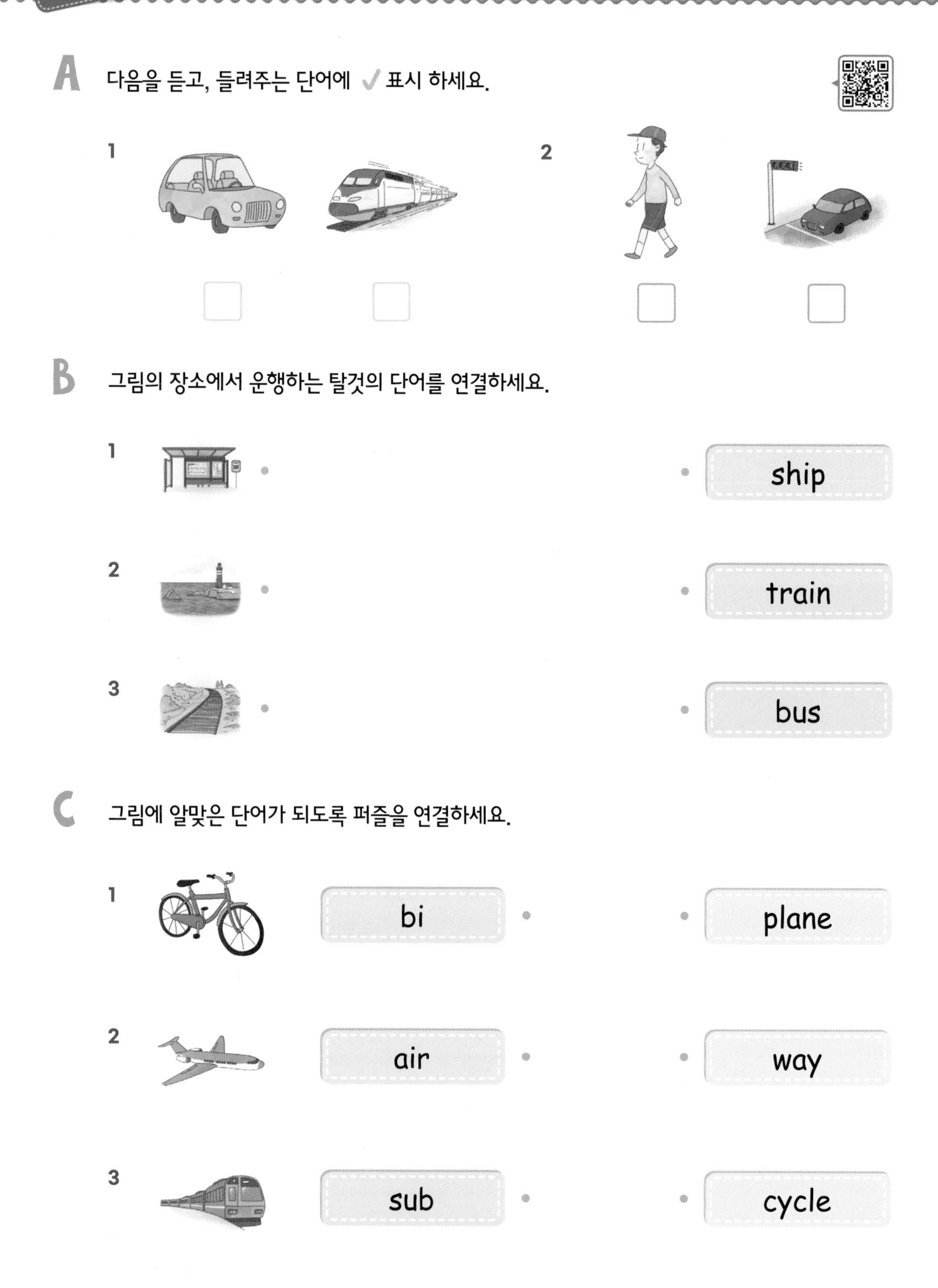

D 사다리를 타고 내려가서 우리말 뜻에 맞는 단어를 쓰세요.

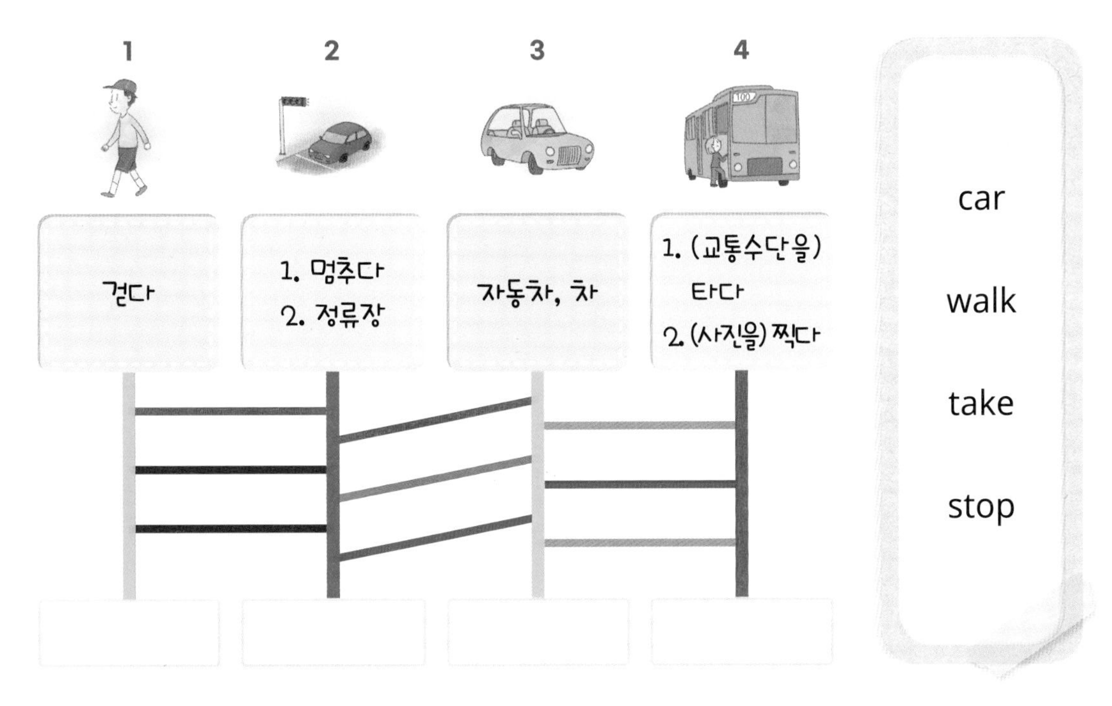

car

walk

take

stop

E 그림을 알맞게 표현한 문장에 ✓ 표시 하세요.

1

- Let's get on the bus.
- Let's get on the train.

2

- Take the airplane.
- Take the subway.

● 다음 영어 단어를 써 보세요.

color color
색깔

red red
빨간색

blue blue
파란색

yellow yellow
노란색

green green
초록색

white white
흰색

black black
검정색

circle circle
원, 동그라미

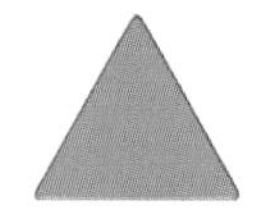
triangle triangle
삼각형

square square
정사각형

다음 필수 문장을 듣고 따라 읽은 후, 문장을 만들어 말해 보세요.

A What color is it? 교과서

그것은 무슨 색이니?

What ______________ is it?

그것은 무슨 모양이니?

B It's red. 교과서

그것은 빨간색이야.

It's ______________.

그것은 노란색이야.

It's ______________.

그것은 흰색이야.

C I like blue. 교과서

나는 파란색을 좋아해.

I like ______________.

나는 초록색을 좋아해.

I like ______________.

나는 빨간색을 좋아해.

D Draw a circle. 교과서

원을 그려라.

Draw a ______________.

삼각형을 그려라.

Draw a ______________.

정사각형을 그려라.

A 다음을 듣고, 들려주는 단어에 ✓ 표시 하세요.

1

2

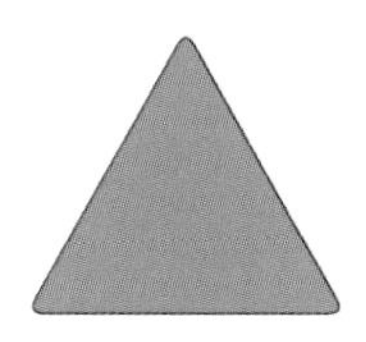

B 단어를 알맞은 우리말 뜻과 연결하세요.

1 white • • 색깔

2 color • • 검정색

3 black • • 흰색

C 무지개 그림에서 가리키는 색깔에 알맞은 단어를 쓰세요.

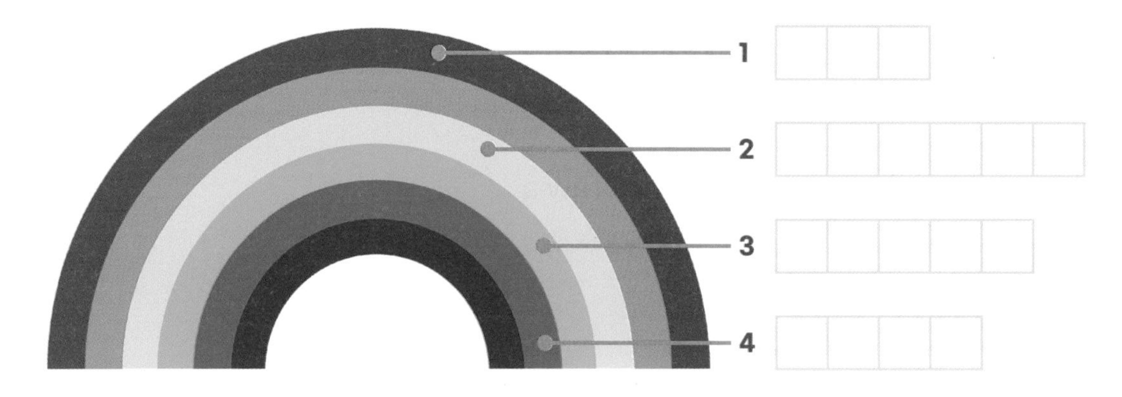

D 그림에 알맞은 단어가 되도록 알파벳을 찾아 동그라미 하세요.

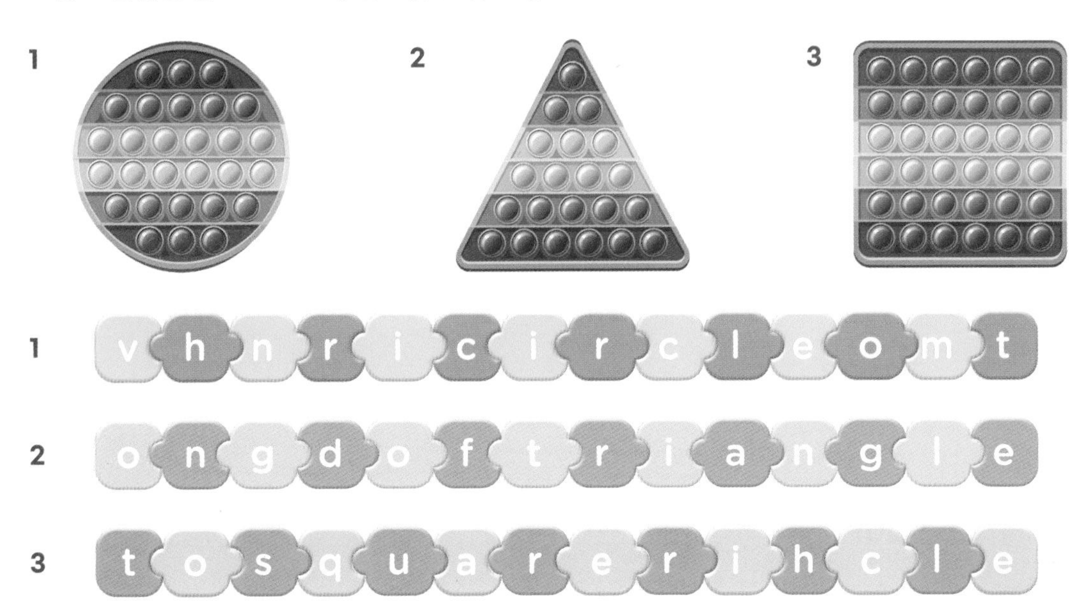

E 그림을 알맞게 표현한 문장에 ✓ 표시 하세요.

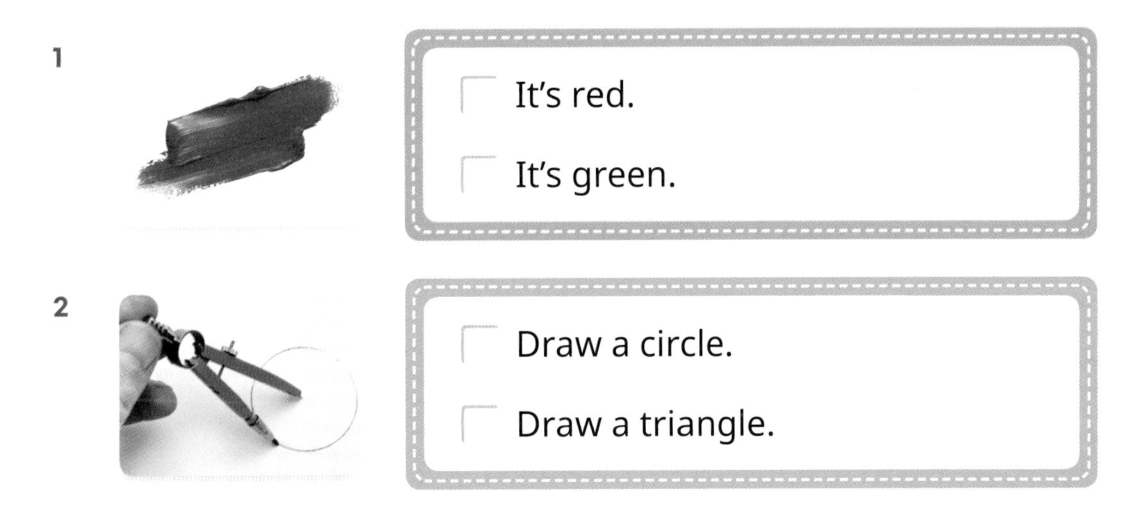

◉ 다음 영어 단어를 써 보세요.

1 one one
하나, 1

2 two two
둘, 2

3 three three
셋, 3

4 four four
넷, 4

5 five five
다섯, 5

6 six six
여섯, 6

7 seven seven
일곱, 7

8 eight eight
여덟, 8

9 nine nine
아홉, 9

10 ten ten
열, 10

다음 필수 문장을 듣고 따라 읽은 후, 문장을 만들어 말해 보세요.

A A: How many tomatoes?

토마토가 몇 개니?

B: Three tomatoes.

세 개요. 교과서

A: How many tomatoes?

토마토가 몇 개니?

B: ____________ tomatoes.

네 개요.

B Five oranges, please.

오렌지 다섯 개 주세요. 교과서

____________ oranges, please.

오렌지 여섯 개 주세요.

____________ oranges, please.

오렌지 일곱 개 주세요.

C I'm eight years old.

나는 여덟 살이야. 교과서

I'm ____________ years old.

나는 아홉 살이야.

I'm ____________ years old.

나는 열 살이야.

A 다음을 듣고, 들려주는 단어에 ✓ 표시 하세요.

1 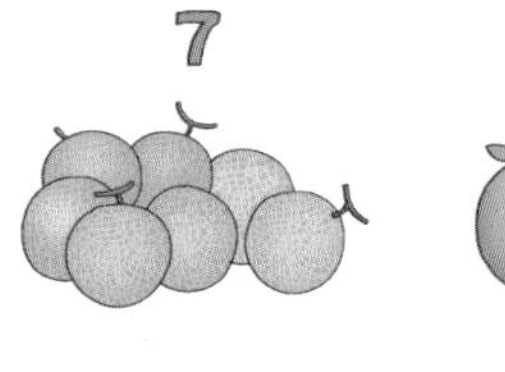
7 5
☐ ☐

2  
9 4
☐ ☐

B 단어를 알맞은 숫자와 연결하세요.

1	eight	7
2	three	8
3	seven	3

C 그림에 알맞은 단어가 되도록 알파벳을 배열하여 쓰세요.

1  

____

2  

____

3 4 o r u f
____

D 미로를 찾아 나가면서 그림과 우리말 뜻에 맞는 단어에 동그라미 하세요.

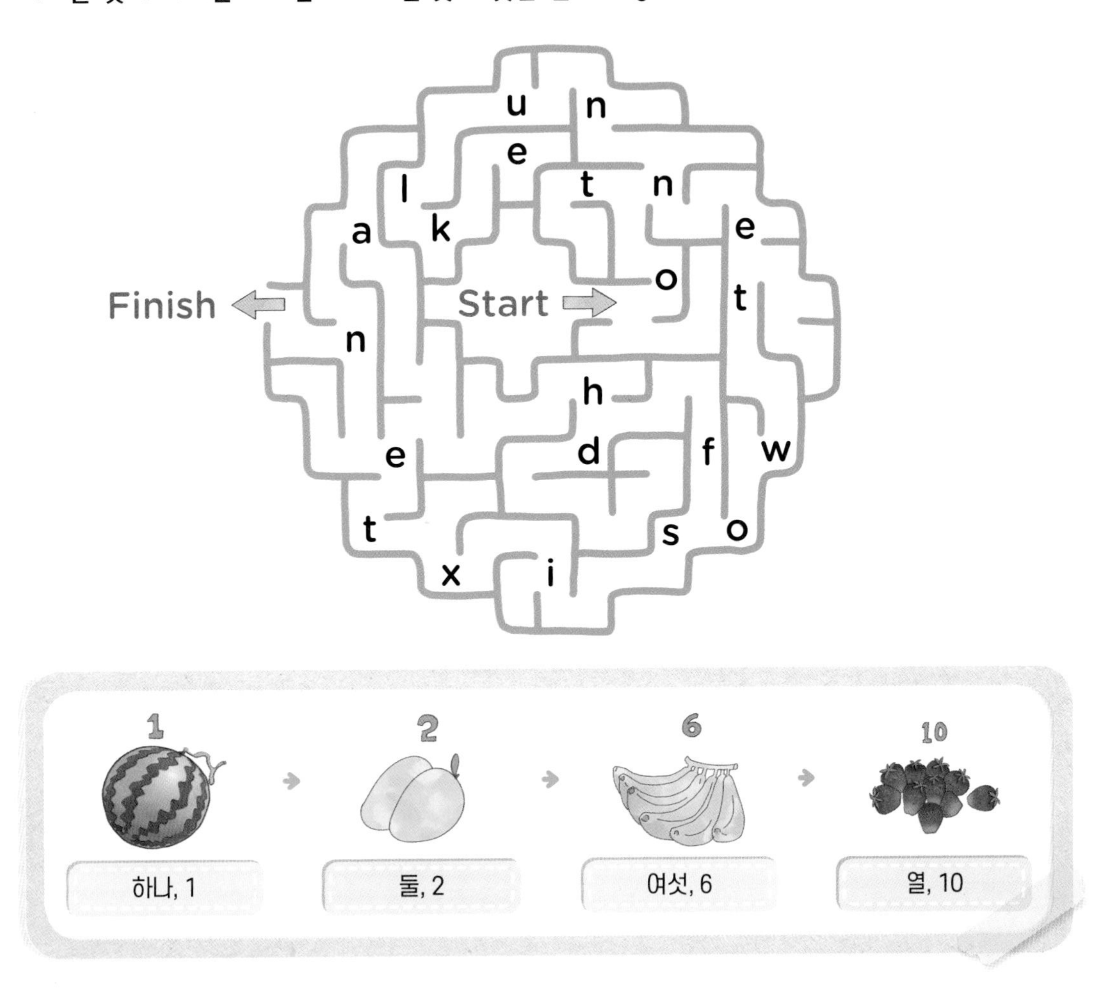

E 그림을 알맞게 표현한 문장에 ✓ 표시 하세요.

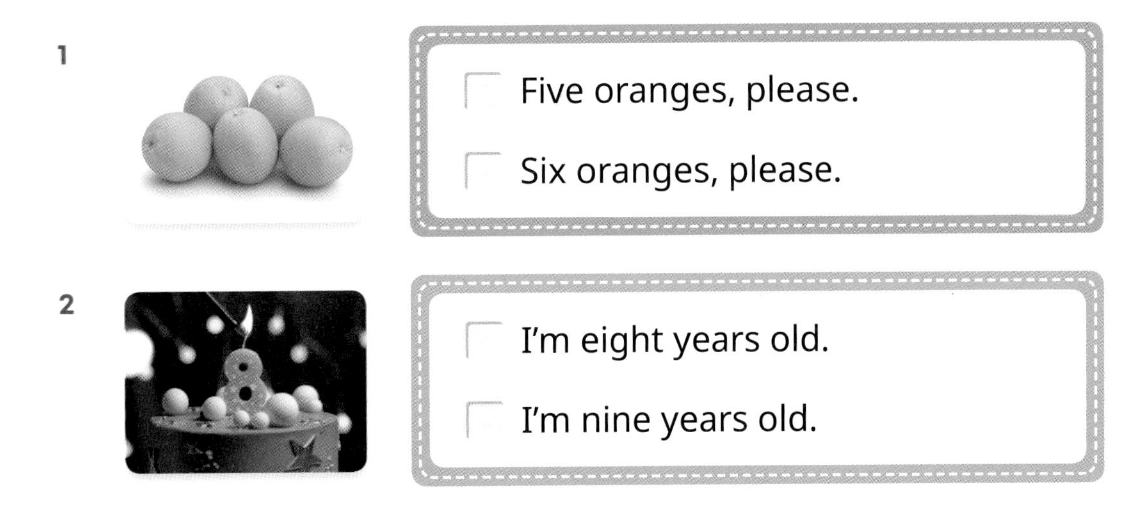

1

☐ Five oranges, please.

☐ Six oranges, please.

2

☐ I'm eight years old.

☐ I'm nine years old.

● 다음 영어 단어를 써 보세요.

left left
왼쪽, 왼쪽으로

right right
오른쪽, 오른쪽으로

up up
위쪽에

down down
아래에

front front
앞쪽에

behind behind
뒤에

inside inside
(~의) 안에, ~ 안으로

outside outside
(~의) 밖에, ~ 밖으로

near near
가까운, 가까이에

far far
먼, 멀리에

● 다음 필수 문장을 듣고 따라 읽은 후, 문장을 만들어 말해 보세요.

A Turn left. 교과서

왼쪽으로 돌아가세요.

Turn ______________.

오른쪽으로 돌아가세요.

B It's on your right. 교과서

그것은 당신의 오른쪽에 있어요.

It's on your ______________.

그것은 당신의 왼쪽에 있어요.

C It's behind the school.

그것은 학교 뒤에 있어요. 교과서

It's ______________ the school.

그것은 학교 안에 있어요.

It's ______________ the school.

그것은 학교 가까이에 있어요.

D Let's go inside. 교과서

안으로 들어갑시다.

Let's go ______________.

밖으로 나갑시다.

A

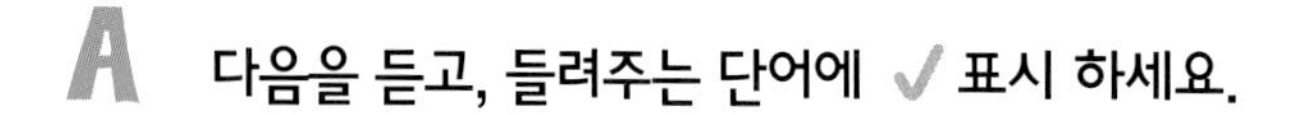

1

☐

☐

2

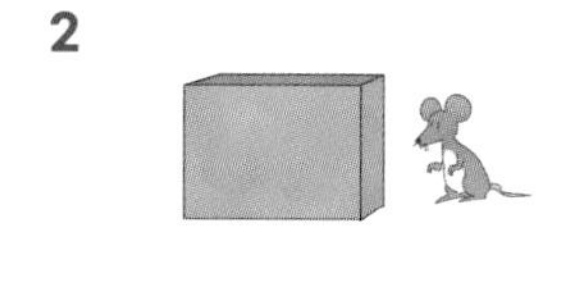

☐

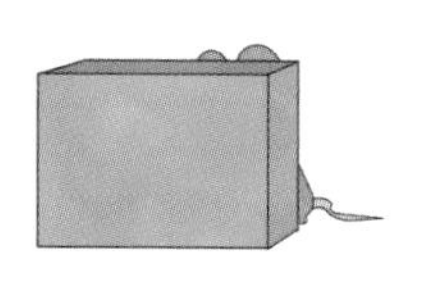

☐

B

주어진 단어와 뜻이 반대인 단어를 연결하세요.

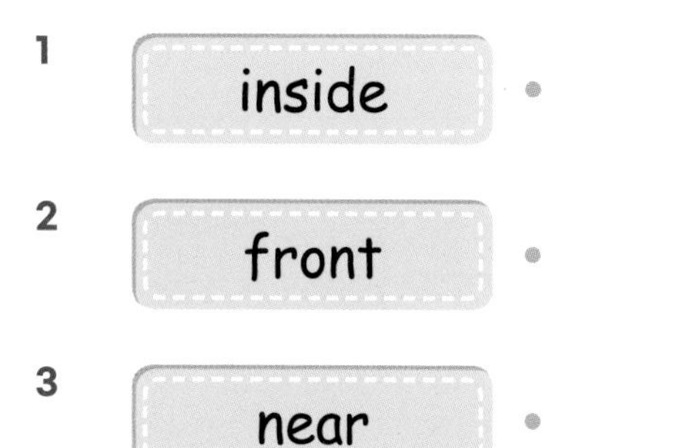

- far
- outside
- behind

C

화살표가 나타내는 방향에 알맞은 단어를 찾아 동그라미 하고 쓰세요.

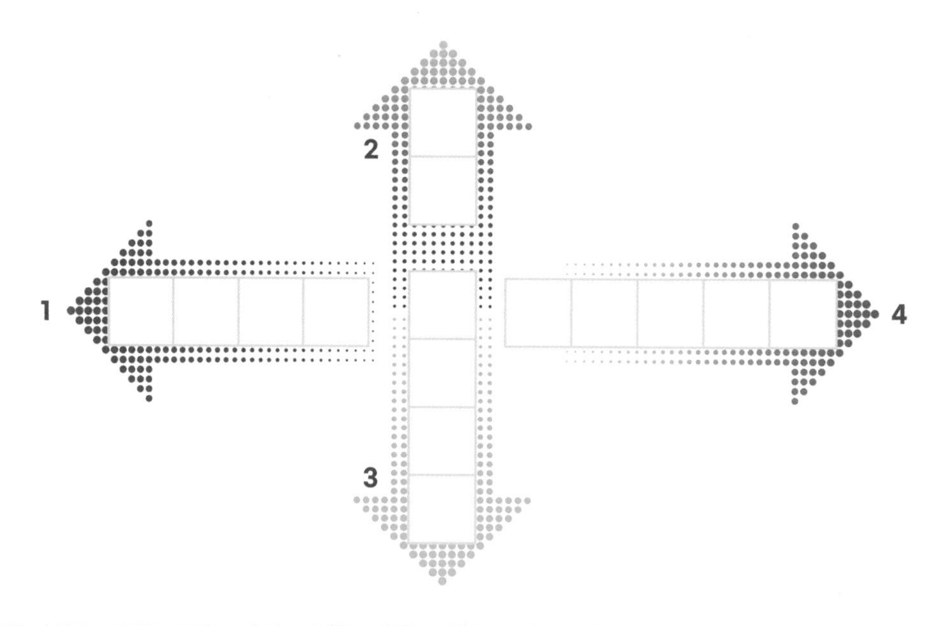

D 우리말 뜻에 맞는 단어를 찾아 동그라미 하고 쓰세요.

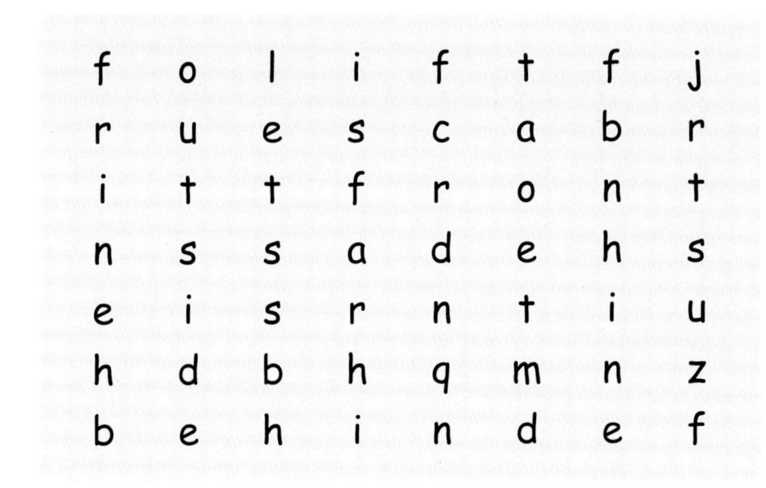

→ 가로
1 앞쪽에
2 뒤에

↓ 세로
3 (~의) 밖에, ~밖으로
4 먼, 멀리에

1 ________ 2 ________ 3 ________ 4 ________

E 그림을 알맞게 표현한 문장에 ✓ 표시 하세요.

1

☐ Turn left.

☐ Turn right.

2

☐ Let's go inside.

☐ Let's go outside.

- 다음 영어 단어를 써 보세요.

Sunday Sunday

일요일

Monday Monday

월요일

Tuesday Tuesday

화요일

Wednesday Wednesday

수요일

Thursday Thursday

목요일

Friday Friday

금요일

Saturday Saturday

토요일

morning morning

아침, 오전

afternoon afternoon

오후

night night

밤, 야간

◉ 다음 필수 문장을 듣고 따라 읽은 후, 문장을 만들어 말해 보세요.

A We go to church every Sunday. 회화필수

우리는 매주 일요일에 교회에 가.

We go to the park every ________.

우리는 매주 토요일에 공원에 가.

* park: 공원

We go to the market every ________.

우리는 매주 금요일에 시장에 가.

* market: 시장

B A: What day is it?

무슨 요일이니?

B: It's Monday.

월요일이야. 교과서

A: What day is it?

무슨 요일이니?

B: It's ________.

화요일이야.

A: What day is it?

무슨 요일이니?

B: It's ________.

수요일이야.

C Good morning. 교과서

좋은 아침이야.(안녕.)

Good ________.

좋은 오후야.(안녕.)

A 다음을 듣고, 들려주는 단어에 ✓ 표시 하세요.

1

2

B 요일의 순서에 맞는 단어를 쓰세요.

1 2 3

Saturday

Monday

Wednesday

C 우리말 뜻에 맞게 하루의 시간 순서에 맞는 단어를 쓰세요.

아침 오후 밤

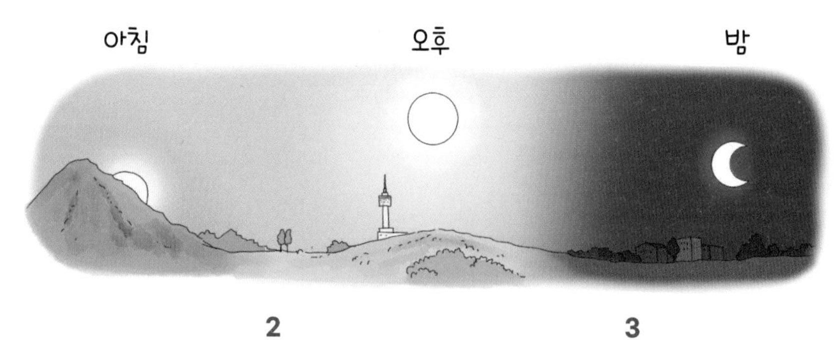

1 ____________ 2 ____________ 3 ____________

D 우리말 뜻에 맞게 퍼즐의 빈칸에 알맞은 단어를 쓰세요.

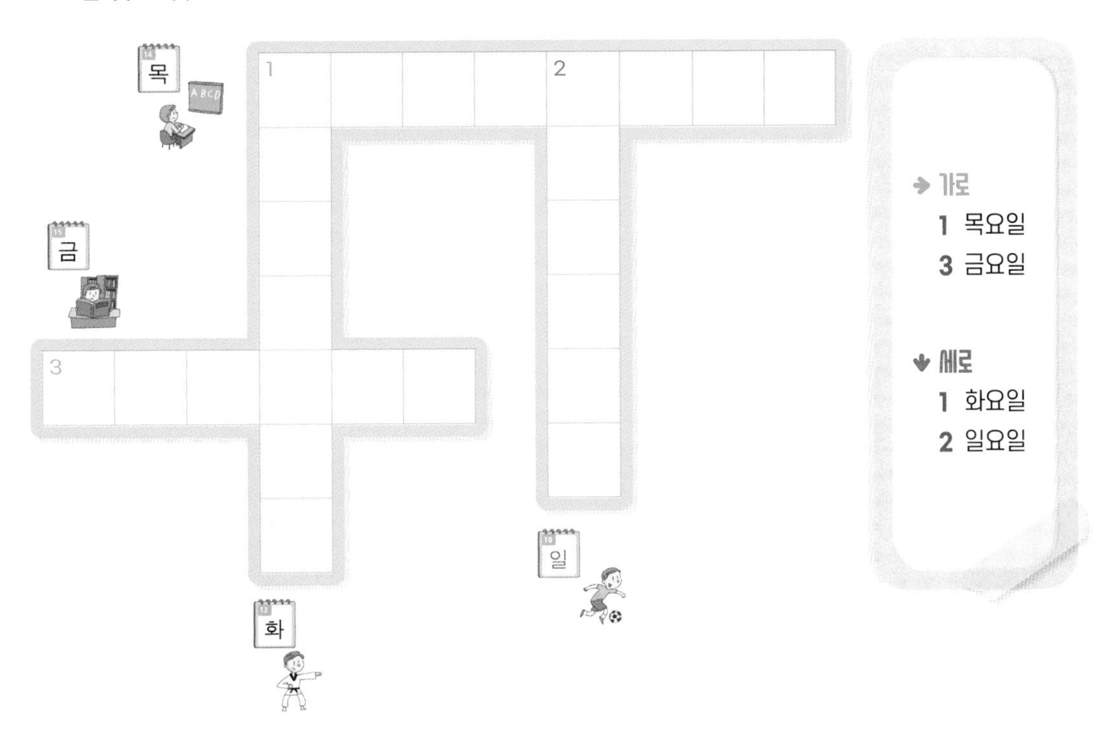

E 그림을 알맞게 표현한 문장에 ✓ 표시 하세요.

1

일

☐ We go to the park every Saturday.

☐ We go to church every Sunday.

2

☐ Good morning.

☐ Good afternoon.

DAY 17

House 1 집

STEP 1 단어 쓰기

● 다음 영어 단어를 써 보세요.

house house

집, 주택

door door

문

bell bell

벨, 초인종

room room

방

garden garden

정원

roof roof

지붕

wall wall

벽

floor floor

바닥

window window

창문

stairs stairs

계단

다음 필수 문장을 듣고 따라 읽은 후, 문장을 만들어 말해 보세요.

A It is a big house. 교과서

그것은 큰 집이다.

It is a big ________________.

그것은 큰 정원이다.

It is a big ________________.

그것은 큰 벨이다.

B I'm cleaning the room.

나는 방을 청소하고 있다. 교과서

I'm cleaning the ________________.

나는 계단을 청소하고 있다.

I'm cleaning the ________________.

나는 바닥을 청소하고 있다.

C Close the window, please. 교과서

창문을 닫아 주세요.

Close the ________________, please.

문을 닫아 주세요.

A 다음을 듣고, 들려주는 단어에 ✓ 표시 하세요.

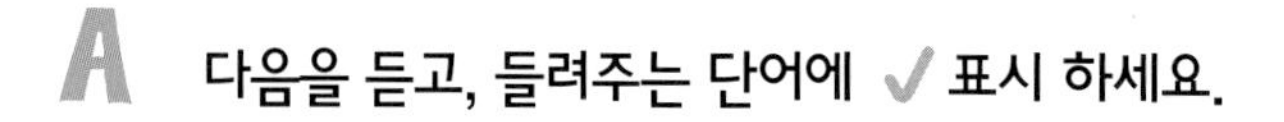

1

□ □

2

□ □

B 집 그림에서 가리키는 부분에 알맞은 단어를 쓰세요.

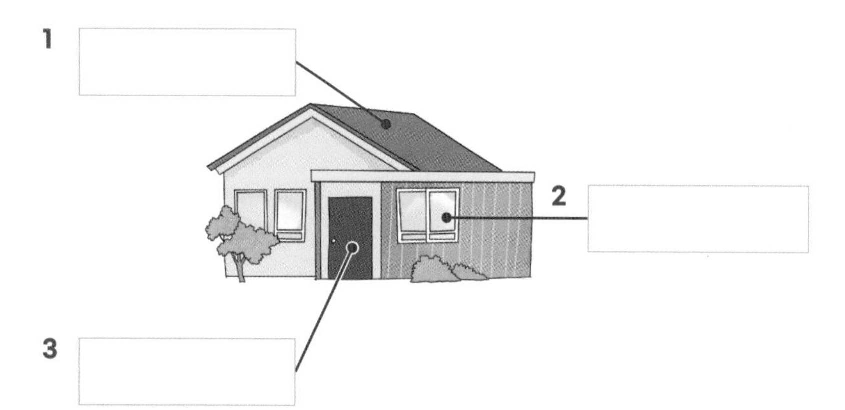

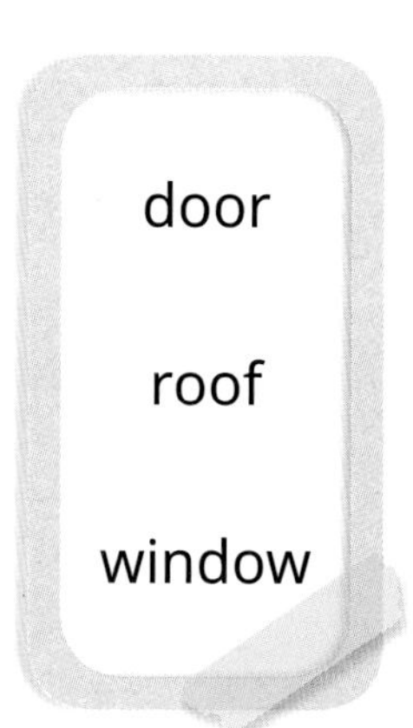

C 그림에 알맞은 단어가 되도록 알파벳을 배열하여 쓰세요.

1 

____

2 

____

3 

____

D 사다리를 타고 내려가서 우리말 뜻에 맞는 단어를 쓰세요.

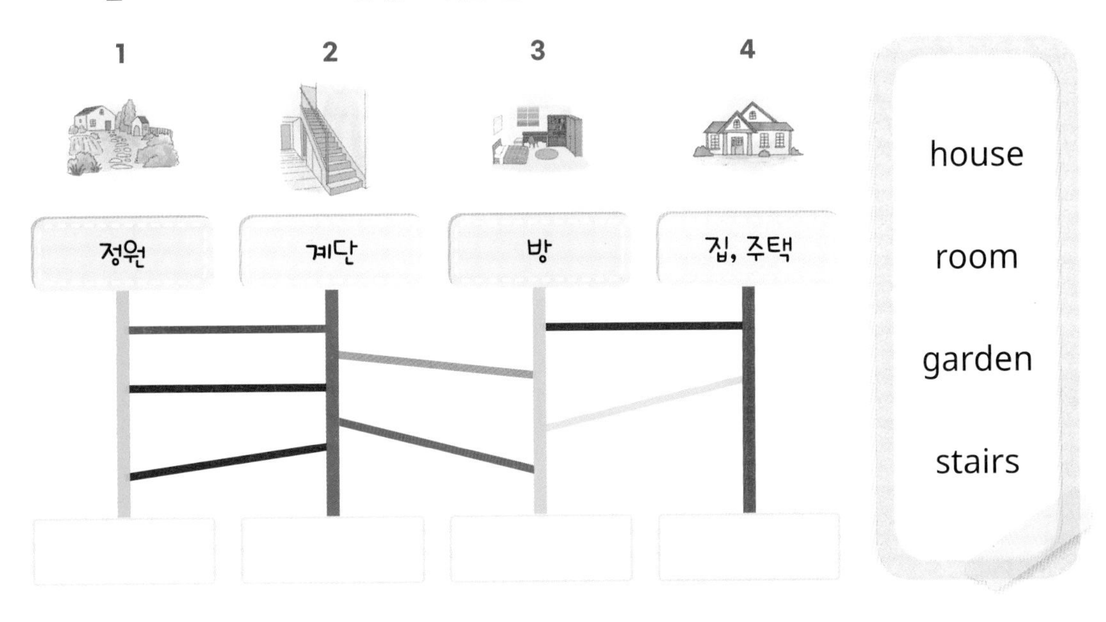

E 그림을 알맞게 표현한 문장에 ✓ 표시 하세요.

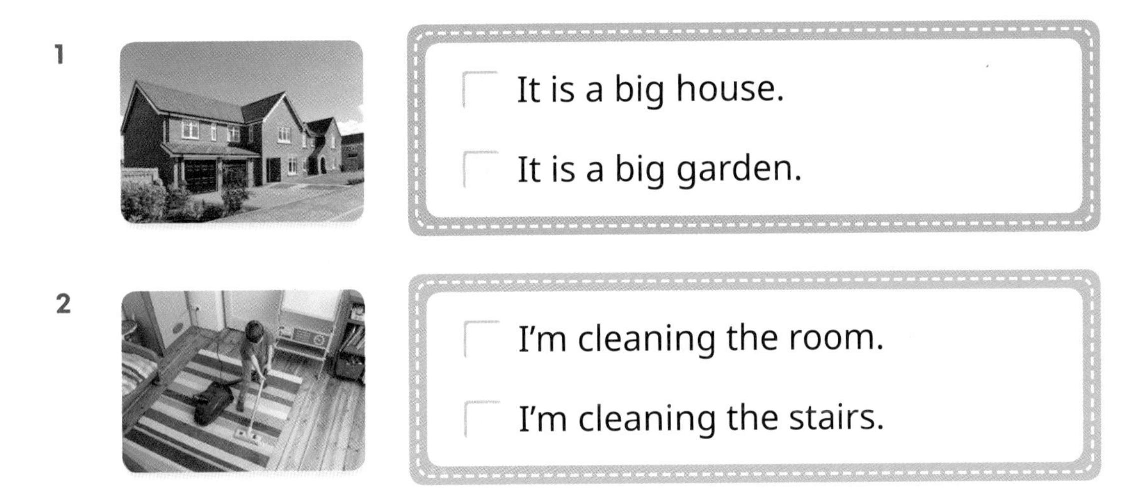

● 다음 영어 단어를 써 보세요.

bed bed
침대

lamp lamp
램프, 등

chair chair
의자

table table
탁자, 테이블

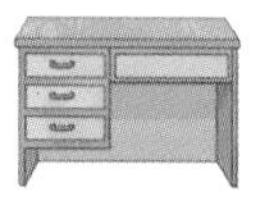
desk desk
책상

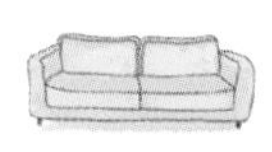
sofa sofa
소파

clock clock
시계

towel towel
수건

soap soap
비누

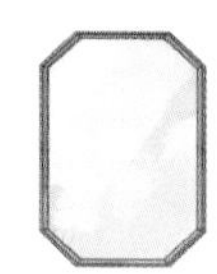
mirror mirror
거울

다음 필수 문장을 듣고 따라 읽은 후, 문장을 만들어 말해 보세요.

A My bed is big. 교과서

내 침대는 크다.

My ______________ is big.

내 책상은 크다.

My ______________ is big.

내 의자는 크다.

B It's on the table. 교과서

그것은 탁자 위에 있다.

It's on the ______________.

그것은 소파 위에 있다.

It's on the ______________.

그것은 침대 위에 있다.

C It's a clock. 교과서

그것은 시계이다.

It's a ______________.

그것은 램프이다.

It's a ______________.

그것은 손목시계이다.

* watch: 손목시계

D Is this your mirror? 교과서

이것이 네 거울이니?

Is this your ______________?

이것이 네 수건이니?

Is this your ______________?

이것이 네 비누니?

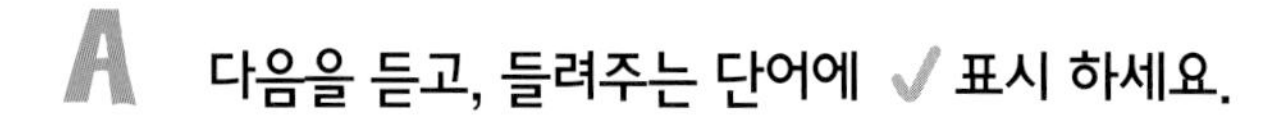

DAY 18 House 2 집

A 다음을 듣고, 들려주는 단어에 ✓ 표시 하세요.

1

 ☐

 ☐

2

 ☐

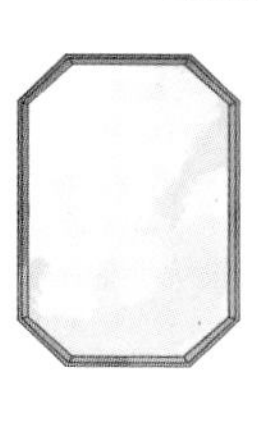 ☐

B 방 그림에서 가리키는 부분에 알맞은 단어를 쓰세요.

chair   bed   desk

C 그림에 알맞은 단어가 되도록 빈칸에 들어갈 알파벳을 찾아 쓰세요. (중복 사용 가능)

1   

☐oap

2   

to☐el

3 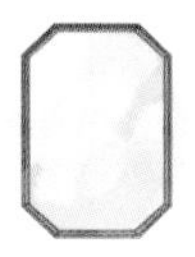  

mi☐☐o☐

D 우리말 뜻에 맞는 단어를 찾아 동그라미 하고 쓰세요.

t	s	c	p	s	h
a	b	l	n	t	o
o	s	o	f	a	o
q	m	c	u	b	r
k	v	k	f	l	w
l	a	m	p	e	e

→ 가로
1 소파
2 램프, 등

↓ 세로
3 시계
4 탁자, 테이블

1 ________ 2 ________ 3 ________ 4 ________

E 그림을 알맞게 표현한 문장에 ✓ 표시 하세요.

1

☐ My bed is big.
☐ My lamp is big.

2

☐ It's on the sofa.
☐ It's on the table.

● 다음 영어 단어를 써 보세요.

study study

공부하다

teach teach

가르치다

class class

1. 학급, 반 2. 수업

read read

읽다

write write

쓰다

homework homework

숙제

prize prize

상, 상품

student student

학생

classroom classroom

교실

playground playground

운동장

● 다음 필수 문장을 듣고 따라 읽은 후, 문장을 만들어 말해 보세요.

A I have an art class today.

나는 오늘 미술 수업이 있다. 교과서

I have ______________ today.

나는 오늘 숙제가 있다.

I have an English ______________ today.

나는 오늘 영어 수업이 있다.

B Read a book. 교과서

책을 읽어라.

______________ a book.

책을 펴라.

______________ a book in your hand.

책을 손에 들어라.

* take: ~을 들다

C She is a student. 교과서

그녀는 학생이다.

She is a ______________.

그녀는 작가이다.

* writer: 작가

She is a ______________.

그녀는 선생님이다.

DAY 19 School 1 학교

A 다음을 듣고, 들려주는 단어에 ✓ 표시 하세요.

1

☐ ☐

2

☐ ☐

B 퍼즐을 연결하여 단어를 완성한 후 우리말 뜻과 연결하세요.

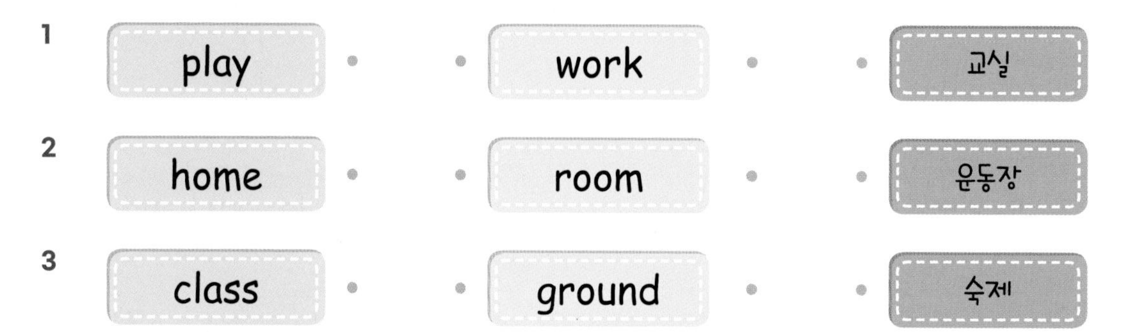

C 그림에 알맞은 단어가 되도록 알파벳을 찾아 동그라미 하세요.

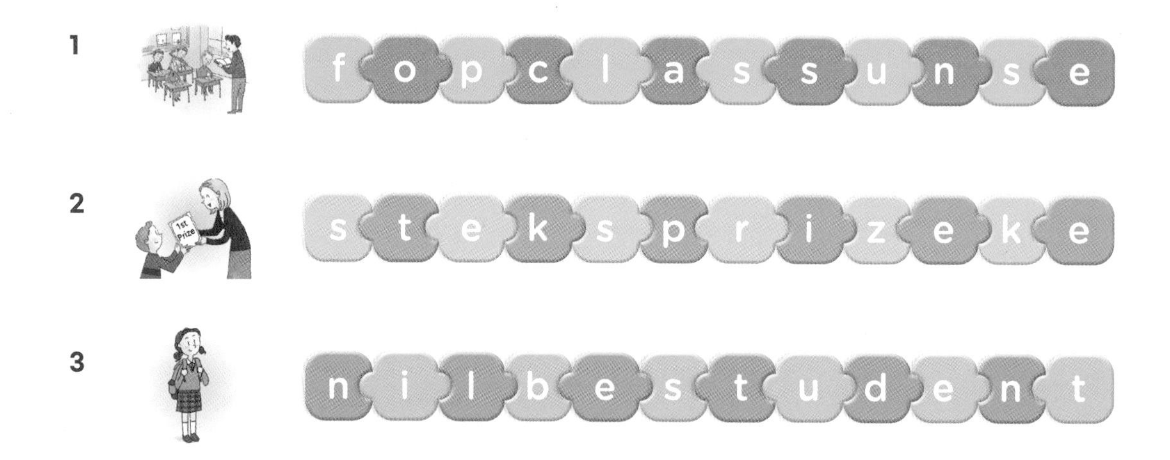

D 우리말 뜻에 맞게 퍼즐의 빈칸에 알맞은 단어를 쓰세요.

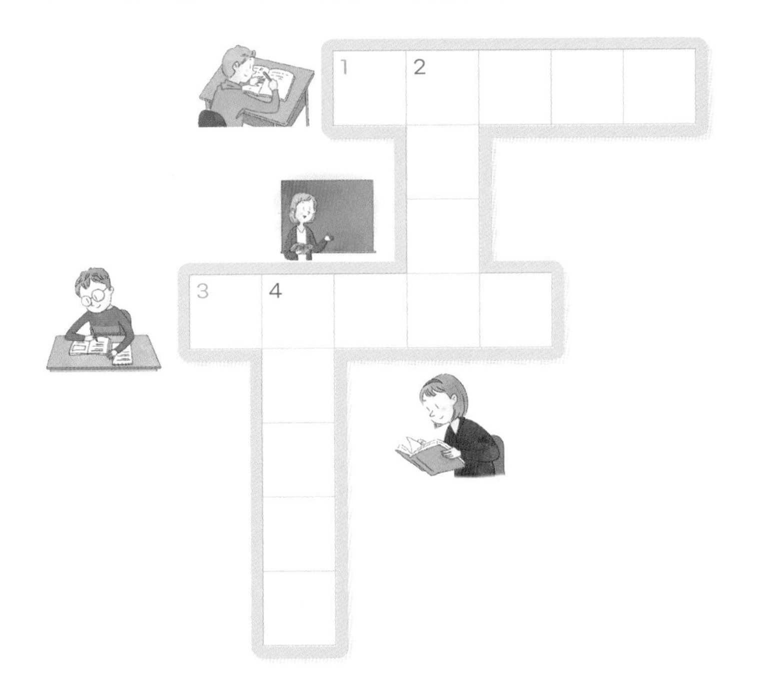

E 문장을 알맞게 표현한 그림에 ✓ 표시 하세요.

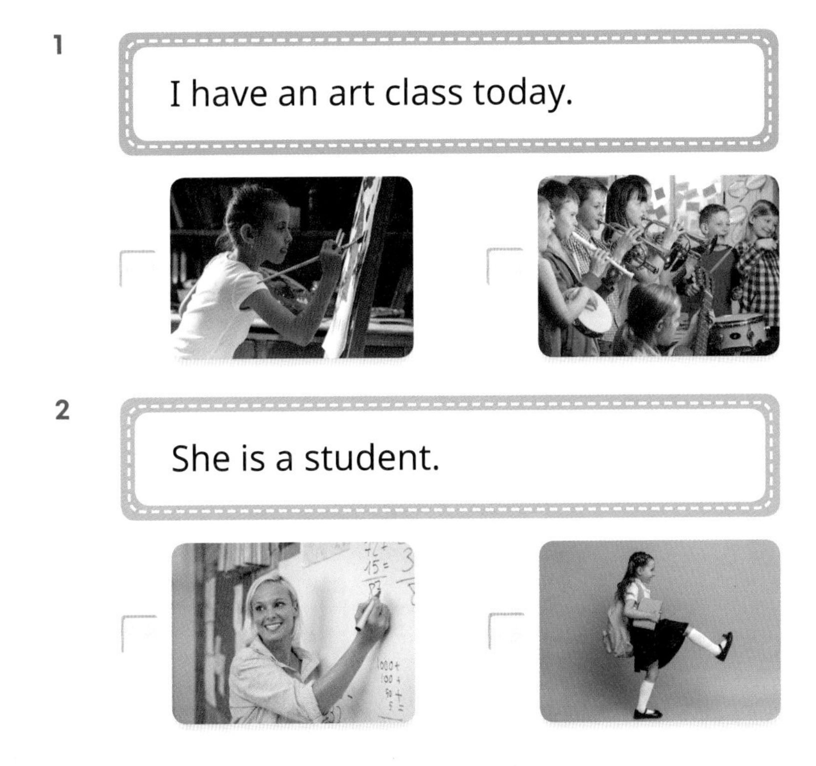

◉ 다음 영어 단어를 써 보세요.

book book

책

eraser eraser

지우개

pencil pencil

연필

scissors scissors

가위

pen pen

펜

bag bag

가방

ruler ruler

자

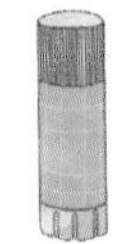

glue glue

풀

textbook textbook

교과서

notebook notebook

공책

- 다음 필수 문장을 듣고 따라 읽은 후, 문장을 만들어 말해 보세요.

A Do you have an eraser?

지우개 있니? 교과서

Do you have a ____________?

가방 있니?

Do you have a ____________?

연필 있니?

B I don't have scissors.

나는 가위가 없어. 교과서

I don't have ____________.

나는 풀이 없어.

I don't have a ____________.

나는 펜이 없어.

C I have a ruler. 교과서

나는 자가 있어.

I have a ____________.

나는 공책이 있어.

I have a ____________.

나는 교과서가 있어.

A 다음을 듣고, 들려주는 단어에 ✓ 표시 하세요.

1

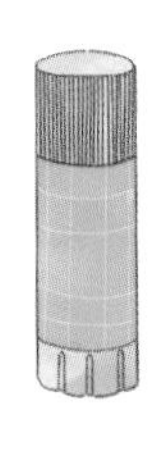

2

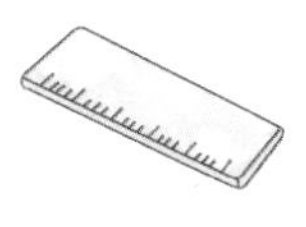

B 가방 그림에서 가리키는 학용품에 알맞은 단어를 쓰세요.

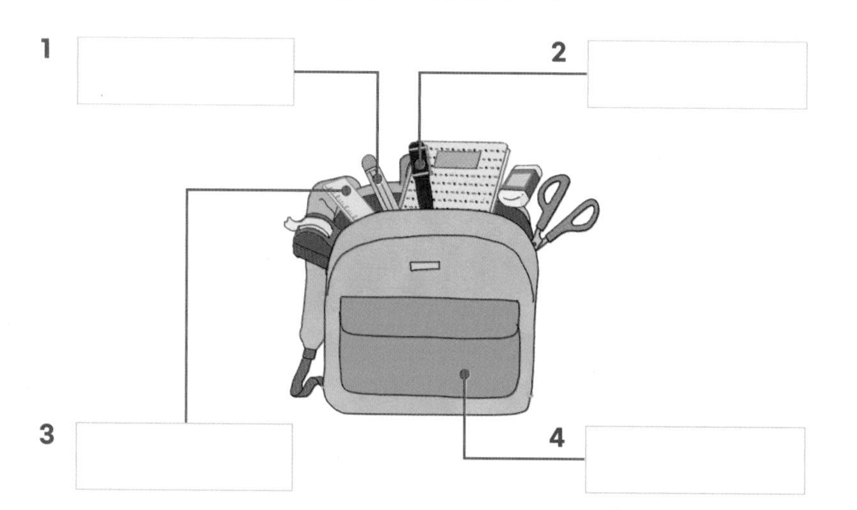

pen

bag

ruler

pencil

C 그림에 알맞은 단어가 되도록 빈칸에 들어갈 알파벳을 찾아 쓰세요. (중복 사용 가능)

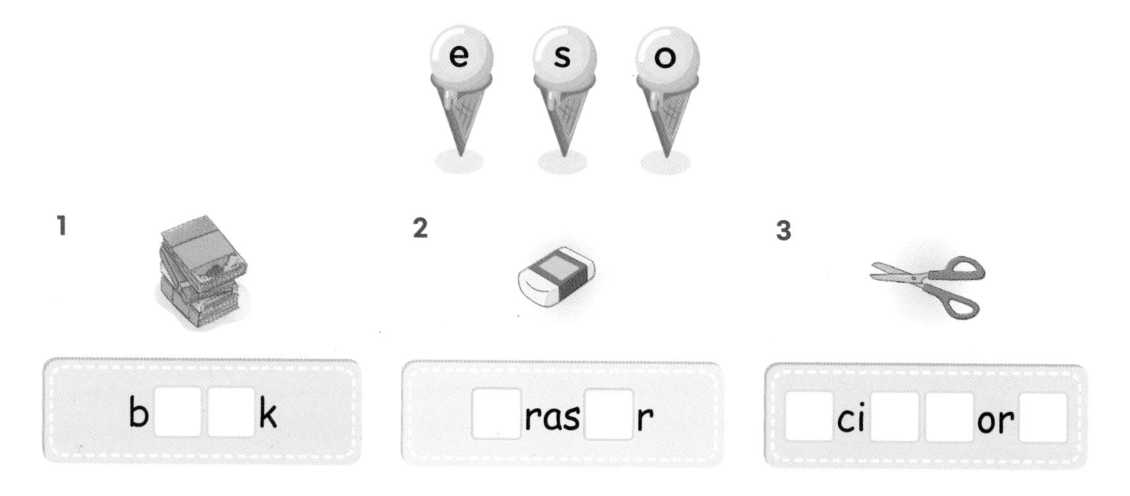

D 사다리를 타고 내려가서 우리말 뜻에 맞는 단어를 쓰세요.

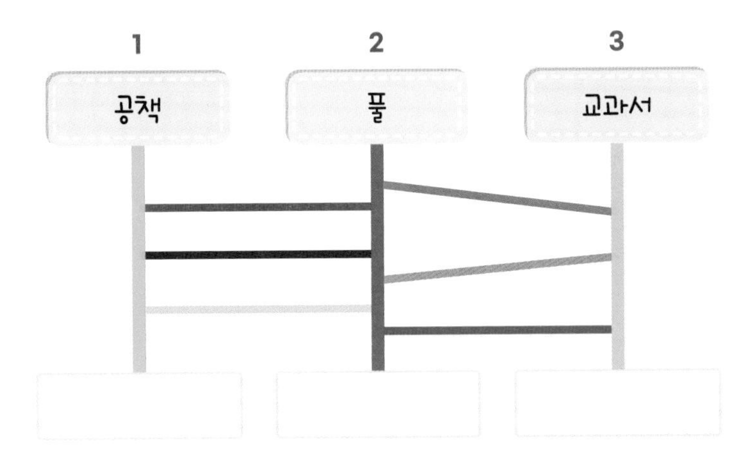

glue

textbook

notebook

E 그림을 알맞게 표현한 문장에 ✓ 표시 하세요.

1

- [ ] Do you have glue?
- [ ] Do you have an eraser?

2

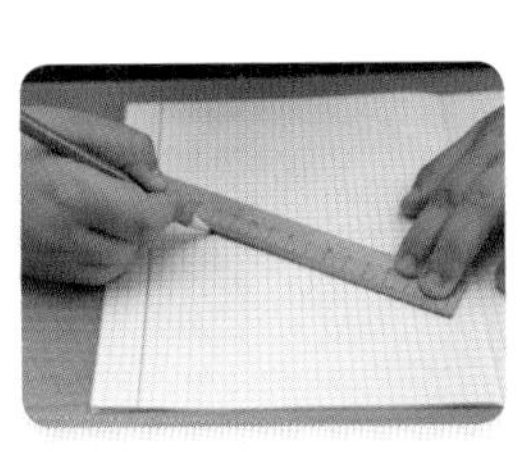

- [ ] I have a bag.
- [ ] I have a ruler.

다음 영어 단어를 써 보세요.

buy buy

사다, 구입하다

sell sell

팔다

price price

가격

shop shop

1. 가게, 상점 2. 쇼핑하다

money money

돈

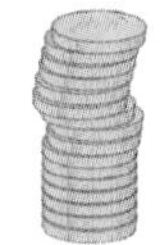

coin coin

동전

sale sale

1. 판매 2. 세일, 할인 판매

change change

1. 바꾸다 2. 잔돈

choose choose

선택하다, 고르다

store store

가게, 상점

다음 필수 문장을 듣고 따라 읽은 후, 문장을 만들어 말해 보세요.

A I can't buy a new skirt.

나는 새 치마를 살 수 없어. 교과서

I can't ______________ a new skirt.

나는 새 치마를 고를 수 없어.

I can't ______________ a new skirt.

나는 새 치마를 팔 수 없어.

B Let's go shopping. 교과서

쇼핑하러 가자.

Let's go to the ______________.

그 상점에 가자.

Let's go ______________ing food.

음식을 사러 가자.

C Here is your change.

여기 잔돈이요. 회화필수

Here is your ______________.

여기 돈이요.

A

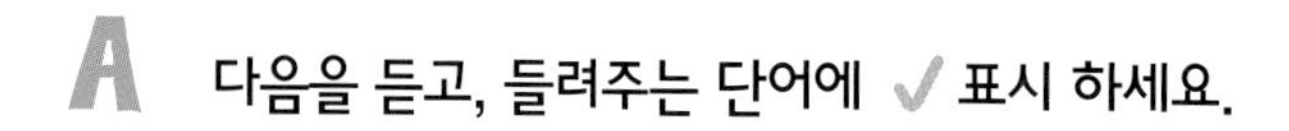

다음을 듣고, 들려주는 단어에 ✓ 표시 하세요.

1

☐ ☐

2

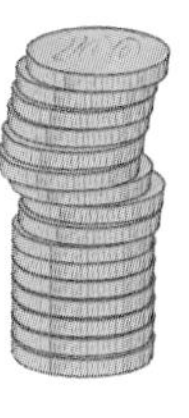

☐ ☐

B

단어를 알맞은 우리말 뜻과 연결하세요.

1	coin 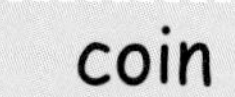	돈
2	price	동전
3	money	가격

C

그림에 알맞은 단어가 되도록 알파벳을 배열하여 쓰세요.

1  

____

2 

____

3 

____

D 우리말 뜻에 맞게 퍼즐의 빈칸에 알맞은 단어를 쓰세요.

E 문장을 알맞게 표현한 그림에 ✓ 표시 하세요.

1 Let's go shopping.

2 Here is your change.

● 다음 영어 단어를 써 보세요.

zoo zoo
동물원

market market
시장

farm farm
농장

park park
공원

bank bank
은행

airport airport
공항

church church
교회

library library
도서관

museum museum
박물관

restaurant restaurant
식당

다음 필수 문장을 듣고 따라 읽은 후, 문장을 만들어 말해 보세요.

A She's going to the market. (교과서)

그녀는 시장에 가고 있다.

She's going to the ______________.

그녀는 동물원에 가고 있다.

She's going to the ______________.

그녀는 은행에 가고 있다.

B Let's meet at the park. (교과서)

공원에서 만나자.

Let's meet at the ______________.

도서관에서 만나자.

Let's meet at the ______________.

공항에서 만나자.

C I like this restaurant. (회화필수)

나는 이 식당을 좋아해.

I like this ______________.

나는 이 농장을 좋아해.

I like this ______________.

나는 이 박물관을 좋아해.

DAY 22 Other Places 기타 장소

A 다음을 듣고, 들려주는 단어에 ✓ 표시 하세요.

1

 □

 □

2

□

 □

B 지도 그림에서 가리키는 장소에 알맞은 단어를 쓰세요.

1 ____________

2 ____________

3 ____________

4 ____________

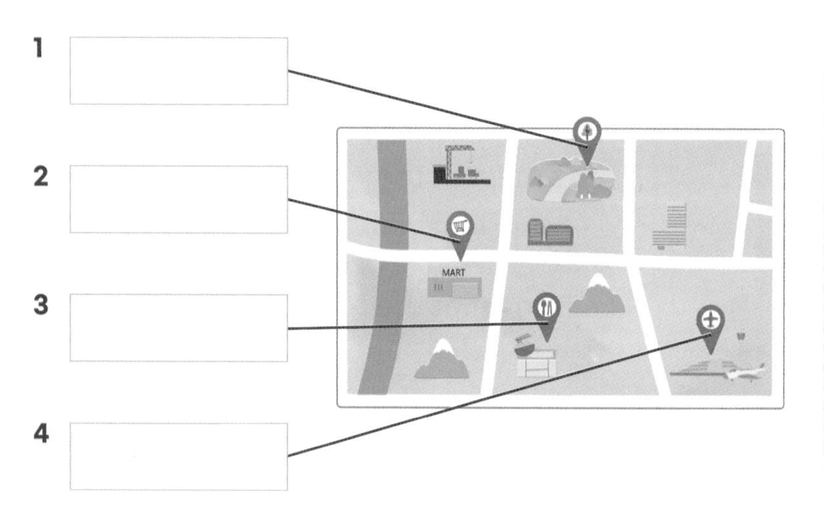

airport

restaurant

market

park

C 그림과 관계되는 단어와 우리말 뜻을 연결하세요.

1  • • zoo • • 도서관

2  • • bank • • 동물원

3  • • library • • 은행

D 그림에 알맞은 단어를 찾아 동그라미 하고 쓰세요.

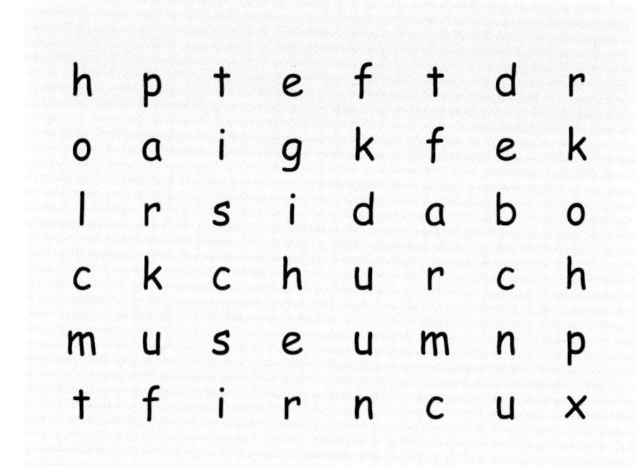

1 ______________ 2 ______________ 3 ______________ 4 ______________

E 그림을 알맞게 표현한 문장에 ✓ 표시 하세요.

1

☐ She's going to the library.

☐ She's going to the market.

2

☐ Let's meet at the park.

☐ Let's meet at the restaurant.

Weather 날씨

STEP 1 단어 쓰기

● 다음 영어 단어를 써 보세요.

cold cold

1. 추운, 차가운 2. 감기

hot hot

더운, 뜨거운

cool cool

시원한

warm warm

따뜻한

windy windy

바람 부는

sunny sunny

화창한

cloudy cloudy

흐린

rainy rainy

비가 오는

snowy snowy

눈이 오는

rainbow rainbow

무지개

다음 필수 문장을 듣고 따라 읽은 후, 문장을 만들어 말해 보세요.

A It's cold. 교과서

춥다.

It's ________________.

덥다.

It's ________________.

시원하다.

B A: How's the weather?

날씨가 어떠니?

B: It's windy.

바람 불어. 교과서

A: How's the weather?

날씨가 어떠니?

B: It's ________________.

It's snowing.

추워. 눈이 내리고 있어.

* snow: 눈, 눈이 내리다

C It's sunny. Let's play outside. 교과서

화창해. 밖에 나가서 놀자.

It's ________________. Let's play outside.

따뜻해. 밖에 나가서 놀자.

A 다음을 듣고, 들려주는 단어에 ✓ 표시 하세요.

1

 ☐

 ☐

2

☐

 ☐

B 일기예보 그림에서 가리키는 날씨에 알맞은 단어를 쓰세요.

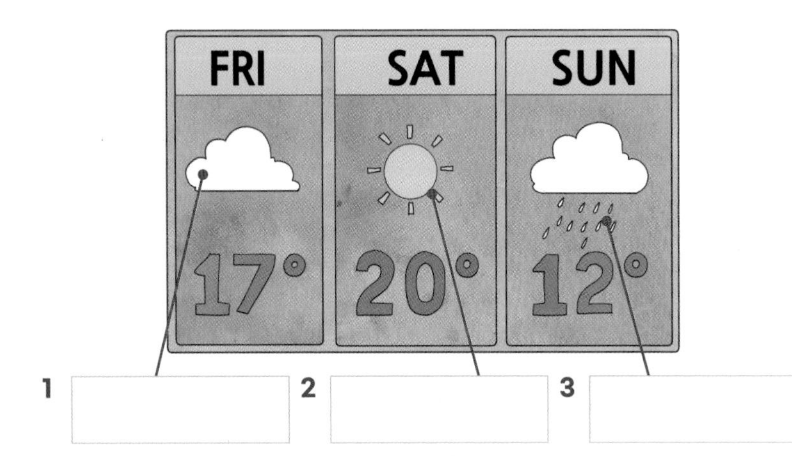

sunny
rainy
cloudy

1 ______ 2 ______ 3 ______

C 그림에 알맞은 단어가 되도록 알파벳을 배열하여 쓰세요.

1 

______

2 

______

3 

a m w r

______

D 우리말 뜻에 맞게 퍼즐의 빈칸에 알맞은 단어를 쓰세요.

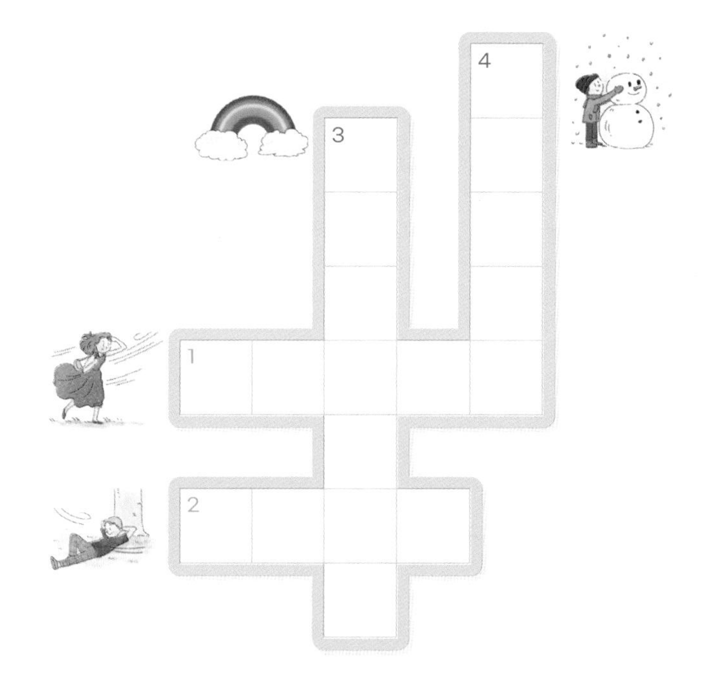

E 그림을 알맞게 표현한 문장에 ✓ 표시 하세요.

1

- [ ] It's hot.
- [ ] It's cold.

2

- [ ] It's windy. Let's play outside.
- [ ] It's sunny. Let's play outside.

● 다음 영어 단어를 써 보세요.

spring spring
봄

summer summer
여름

fall fall
가을

winter winter
겨울

air air
공기, 대기

wind wind
바람

ice ice
얼음

melt melt
녹다, 녹이다

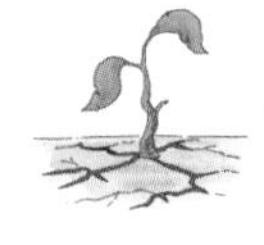

dry dry
마른, 건조한

wet wet
젖은, 습한

● 다음 필수 문장을 듣고 따라 읽은 후, 문장을 만들어 말해 보세요.

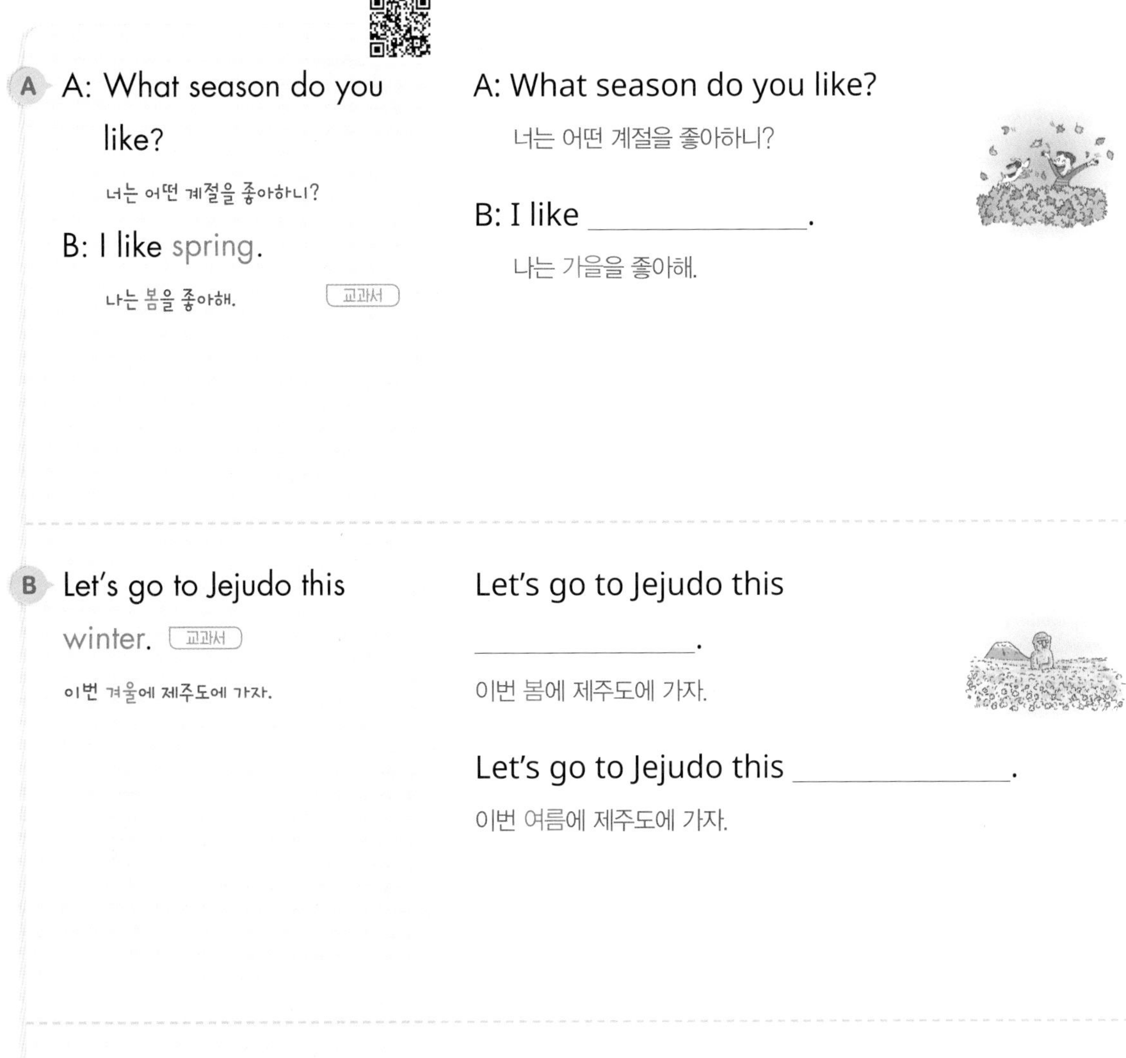

A

A: What season do you like?

너는 어떤 계절을 좋아하니?

B: I like spring.

나는 봄을 좋아해. (교과서)

A: What season do you like?

너는 어떤 계절을 좋아하니?

B: I like ______________.

나는 가을을 좋아해.

B

Let's go to Jejudo this winter. (교과서)

이번 겨울에 제주도에 가자.

Let's go to Jejudo this ______________.

이번 봄에 제주도에 가자.

Let's go to Jejudo this ______________.

이번 여름에 제주도에 가자.

C

In spring, the air is dry.

봄에는 대기가 건조하다. (회화필수)

In summer, the air is ______________.

여름에는 대기가 습하다.

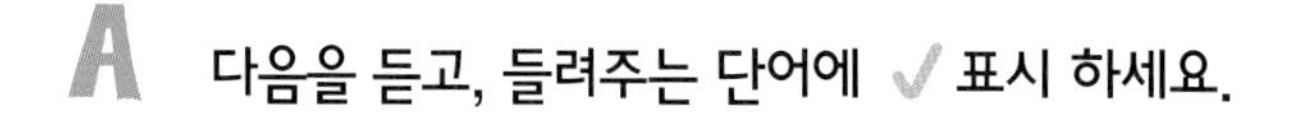

A 다음을 듣고, 들려주는 단어에 ✓ 표시 하세요.

1

2

B 나무의 변화에 따른 계절에 맞는 단어를 쓰세요.

spring　　summer　　fall　　winter

1 ____________ 2 ____________ 3 ____________ 4 ____________

C 다음과 같이 그림에 알맞은 단어가 되도록 알파벳을 연결하세요.

1

2

3

D 사다리를 타고 내려가서 우리말 뜻에 맞는 단어를 쓰세요.

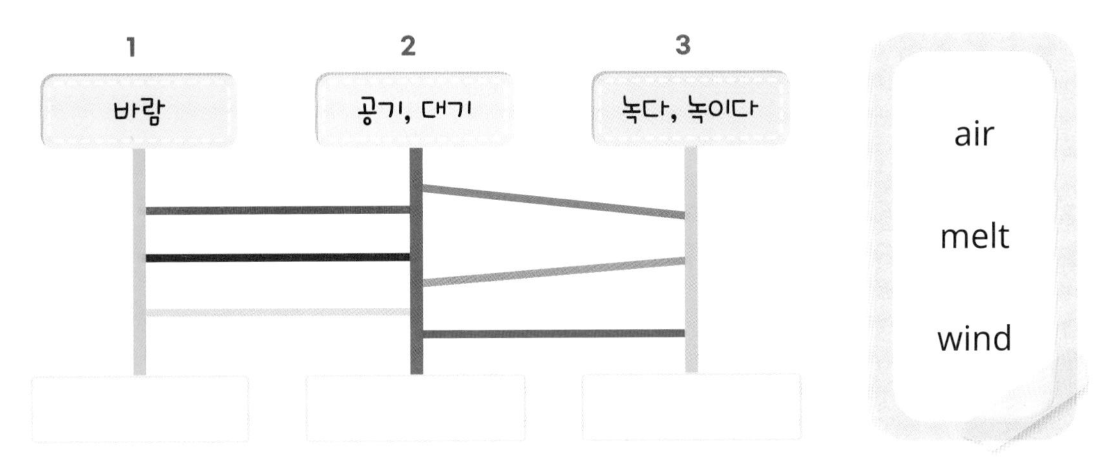

E 그림을 알맞게 표현한 문장에 ✓ 표시 하세요.

Animals 동물

다음 영어 단어를 써 보세요.

ant ant

개미

cat cat

고양이

dog dog

개

pig pig

돼지

snake snake

뱀

bear bear

곰

duck duck

오리

lion lion

사자

bat bat

박쥐

fish fish

물고기

다음 필수 문장을 듣고 따라 읽은 후, 문장을 만들어 말해 보세요.

A A: Is it a pig?
그것은 돼지니?
B: Yes, it is.
응, 맞아. 교과서

A: Is it a ______________?
그것은 곰이니?
B: Yes, it is.
응, 맞아.

B A: What's this?
이것은 무엇이죠?
B: It's a snake.
그것은 뱀이야. 교과서

A: What's this?
이것은 무엇이죠?
B: It's a ______________.
그것은 박쥐야.

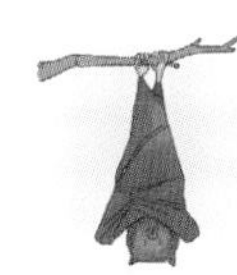

C Catch the duck! 교과서
오리를 잡아!

Catch the ______________!
고양이를 잡아!

Catch the ______________!
물고기를 잡아!

A

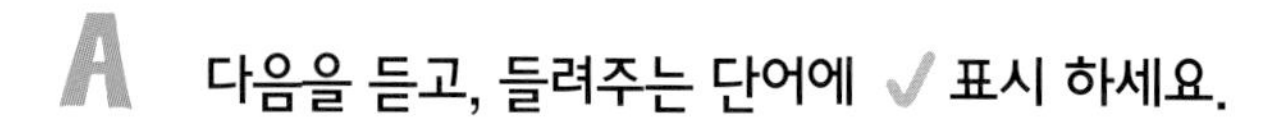
다음을 듣고, 들려주는 단어에 ✓ 표시 하세요.

1

2

B

동물 농장 그림에서 가리키는 동물에 알맞은 단어를 쓰세요.

pig duck cat dog

1 ______

2 ______

3 ______

4 ______

C

그림에 알맞은 단어가 되도록 빈칸에 들어갈 알파벳을 찾아 쓰세요.

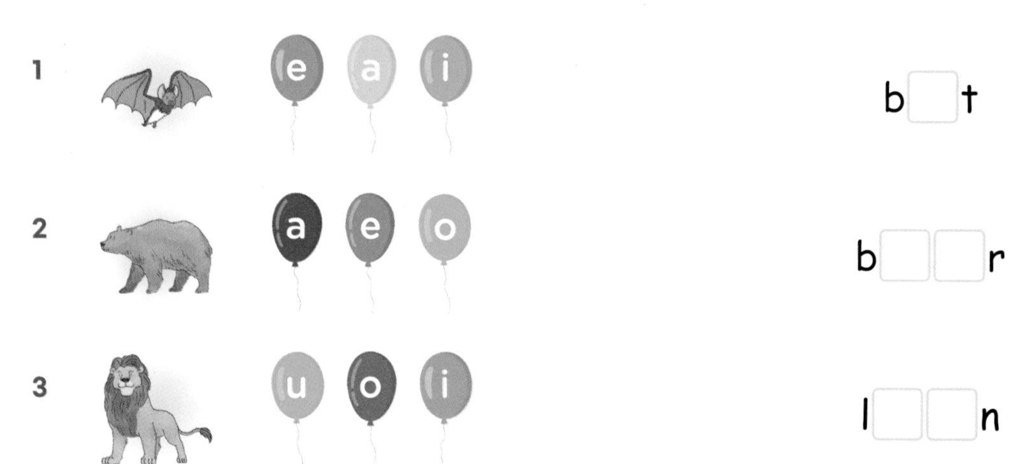

D 우리말 뜻에 맞는 단어를 찾아 동그라미 하고 쓰세요.

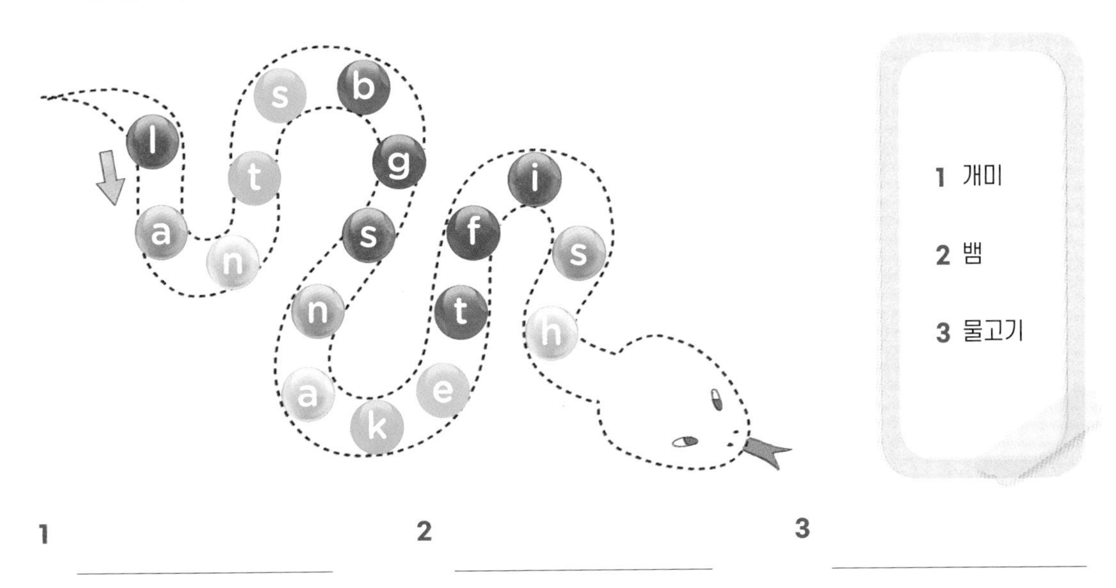

E 그림을 알맞게 표현한 문장에 ✓ 표시 하세요.

◉ 다음 영어 단어를 써 보세요.

sky sky
하늘

sea sea
바다

land land
육지, 땅

tree tree
나무

flower flower
꽃

field field
들판

river river
강

lake lake
호수

cloud cloud
구름

mountain mountain
산

다음 필수 문장을 듣고 따라 읽은 후, 문장을 만들어 말해 보세요.

A Look at the sky. 회화필수

하늘을 봐.

Look at the ______________.

들판을 봐.

Look at the ______________.

산을 봐.

B I'm drawing flowers.

나는 꽃을 그리고 있다. 교과서

I'm drawing ______________s.

나는 나무를 그리고 있다.

I'm drawing ______________s.

나는 구름을 그리고 있다.

C Let's swim in the river.

강에서 수영하자. 회화필수

Let's swim in the ______________.

바다에서 수영하자.

Let's swim in the ______________.

호수에서 수영하자.

A 다음을 듣고, 들려주는 단어에 ✓ 표시 하세요.

1

☐

☐

2

☐

☐

B 풍경 그림에서 가리키는 부분에 알맞은 단어를 쓰세요.

tree

cloud

sky

sea

C 그림에 알맞은 단어가 되도록 알파벳을 찾아 동그라미 하세요.

1

2

3

h i m o u n t a i n l d

D 미로를 찾아 나가면서 그림과 우리말 뜻에 맞는 단어에 동그라미 하세요.

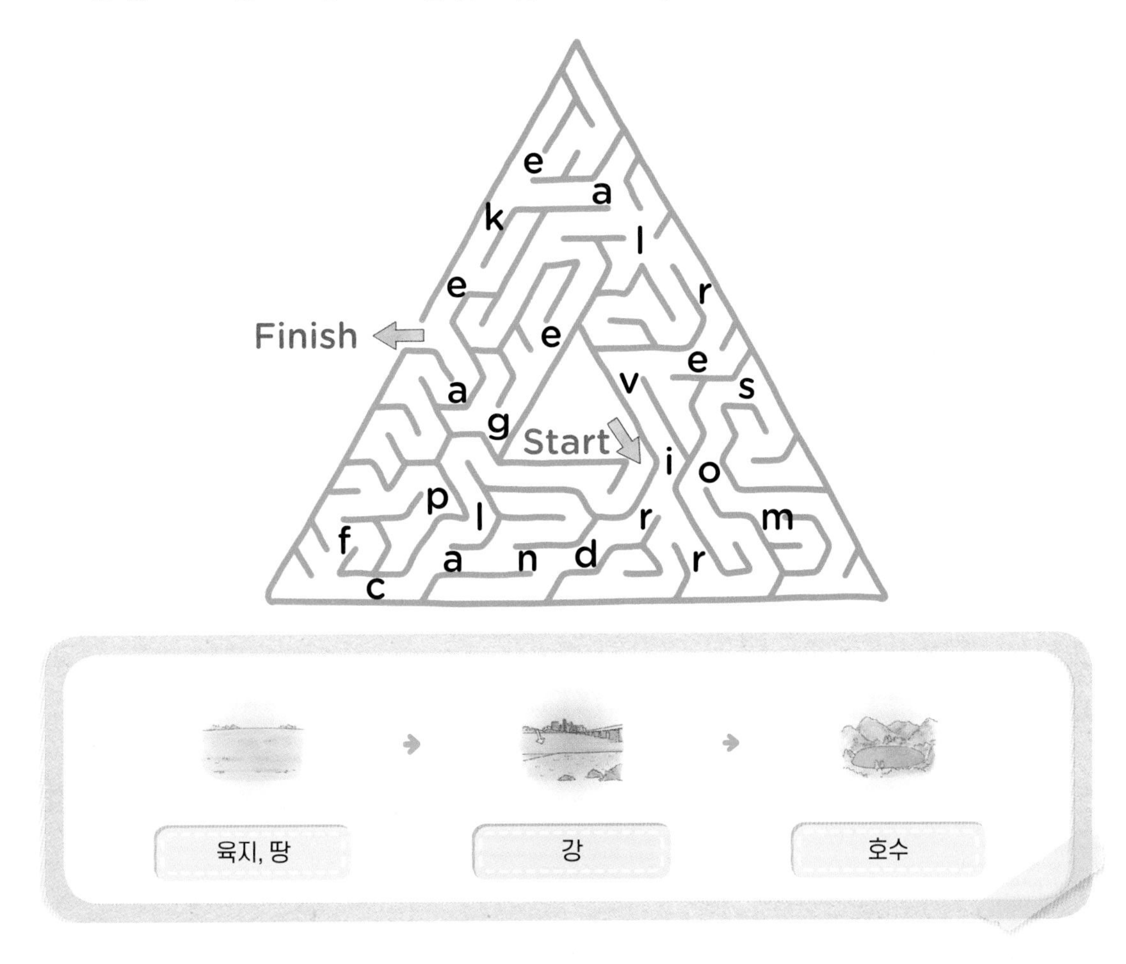

E 그림을 알맞게 표현한 문장에 ✓ 표시 하세요.

1
- [ ] Look at the sky.
- [ ] Look at the tree.

2
- [ ] Let's swim in the sea.
- [ ] Let's swim in the river.

Study More Words 1

◉ 다음 영어 단어를 써 보세요.

big big

큰

small small

작은

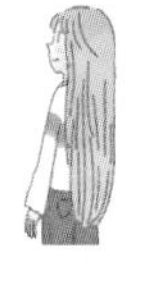

long long

긴

story story

이야기

king king

왕

family family

가족

give give

주다

have have

1. 가지다 2. 먹다, 마시다

wait wait

기다리다

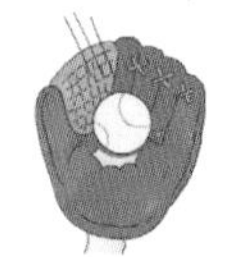

catch catch

잡다

● 다음 필수 문장을 듣고 따라 읽은 후, 문장을 만들어 말해 보세요.

A Look at the elephant.
It's big. 교과서
코끼리를 봐. 그것은 커.

Look at the ant. It's ________________.
개미를 봐. 그것은 작아.

Look at the snake.
It's ________________.
뱀을 봐. 그것은 길어.

B I have a map. 교과서
나는 지도를 가지고 있다.

I ________________ for drawing a map.
나는 지도를 그리기를 기다리고 있다.

C Catch the ball. 교과서
공을 잡아.

________________ me the ball.
나에게 공을 줘.

________________ the ball.
공을 차.

* kick: (공을) 차다

A

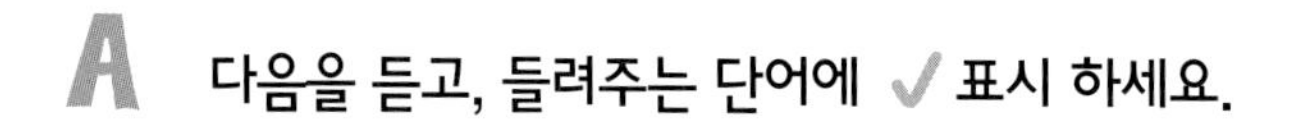

다음을 듣고, 들려주는 단어에 ✓ 표시 하세요.

1

2

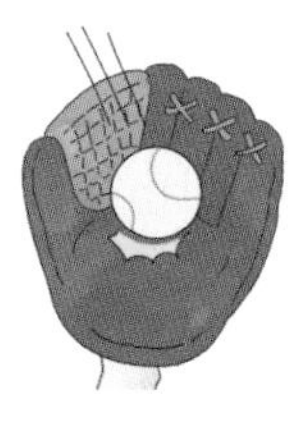

B 그림에 알맞은 단어가 되도록 빈칸에 들어갈 알파벳을 찾아 쓰세요.

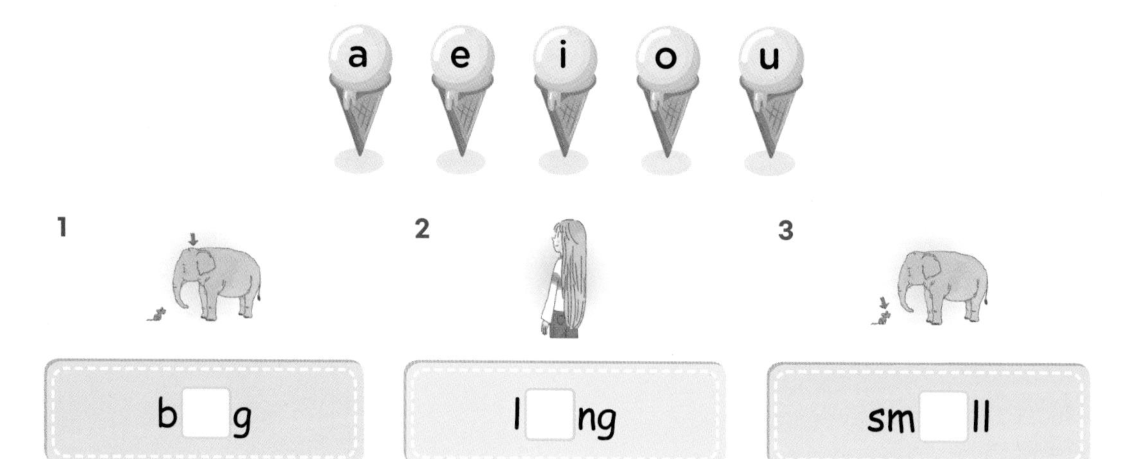

C 그림에 알맞은 단어가 되도록 알파벳을 배열하여 쓰세요.

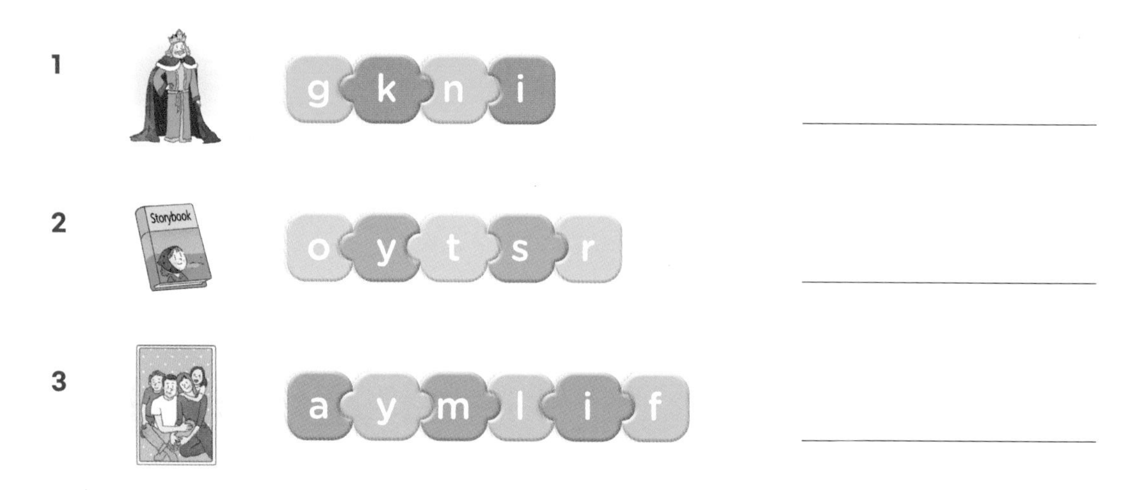

D 사다리를 타고 내려가서 우리말 뜻에 맞는 단어를 쓰세요.

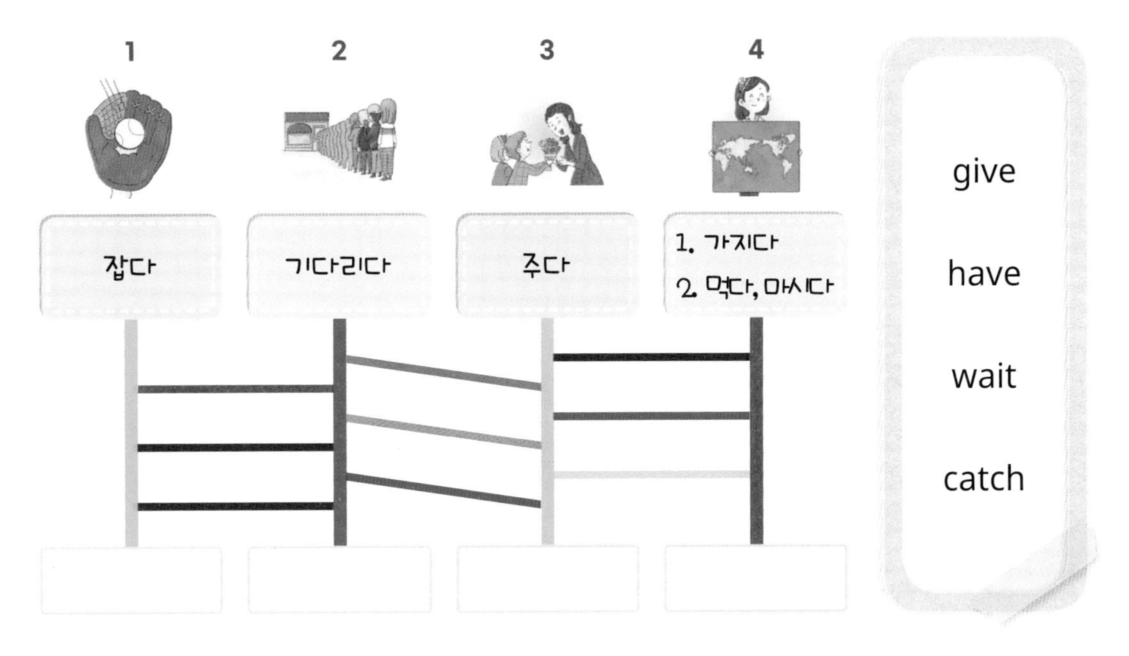

E 그림을 알맞게 표현한 문장에 ✓ 표시 하세요.

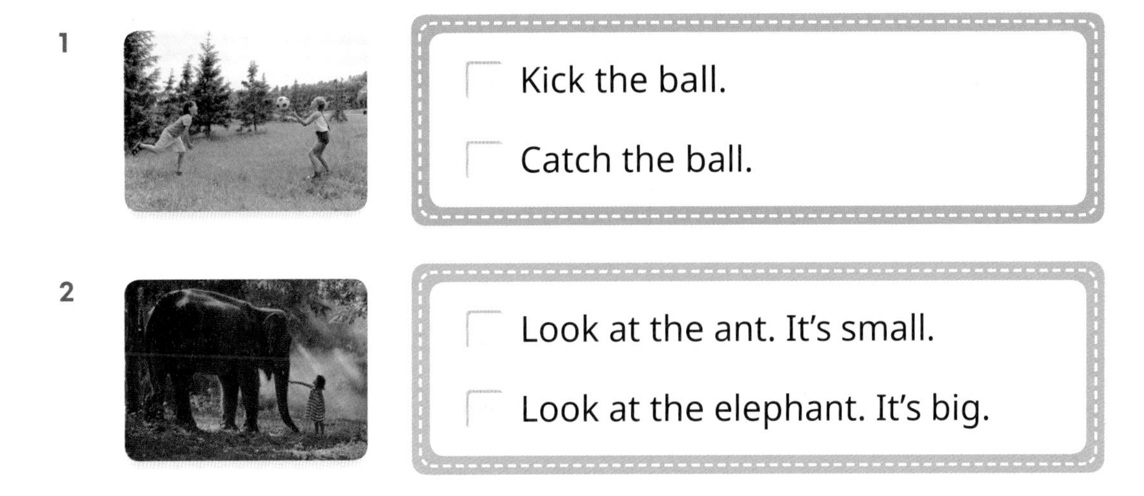

Study More Words 2

STEP 1 단어 쓰기

● 다음 영어 단어를 써 보세요.

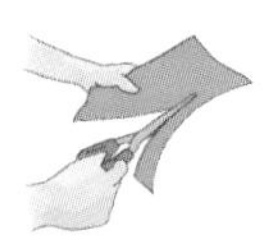

cut cut

자르다

run run

뛰다, 달리다

make make

만들다

do do

하다

name name

이름

age age

나이

deep deep

깊은

hard hard

1. 열심히 2. 단단한

bottle bottle

병

begin begin

시작하다

● 다음 필수 문장을 듣고 따라 읽은 후, 문장을 만들어 말해 보세요.

A Don't run, please. (교과서)
뛰지 마세요.

Don't ______________ that, please.
그것을 자르지 마세요.

Don't ______________ that, please.
그것을 하지 마세요.

B She's making a pinata.
그녀는 피냐타를 만들고 있다. (교과서)

She's ______________ning.
그녀는 달리고 있다.

She's ______________ting the paper.
그녀는 종이를 자르고 있다.

C What's your name?
네 이름이 뭐니? (교과서)

What's your ______________?
네 나이가 어떻게 되니?

What's your ______________?
네 번호가 어떻게 되니?

* number: 번호

Study More Words 2

A 다음을 듣고, 들려주는 단어에 ✓ 표시 하세요.

1

2

B 단어를 알맞은 우리말 뜻과 연결하세요.

1	run	시작하다
2	cut	뛰다, 달리다
3	begin	자르다

C 그림에 알맞은 단어가 되도록 빈칸에 들어갈 알파벳을 찾아 쓰세요. (중복 사용 가능)

1

m ☐ ke

2

d ☐ ☐ p

3

bo ☐ ☐ le

D 미로를 찾아 나가면서 그림에 알맞은 단어에 동그라미 하세요.

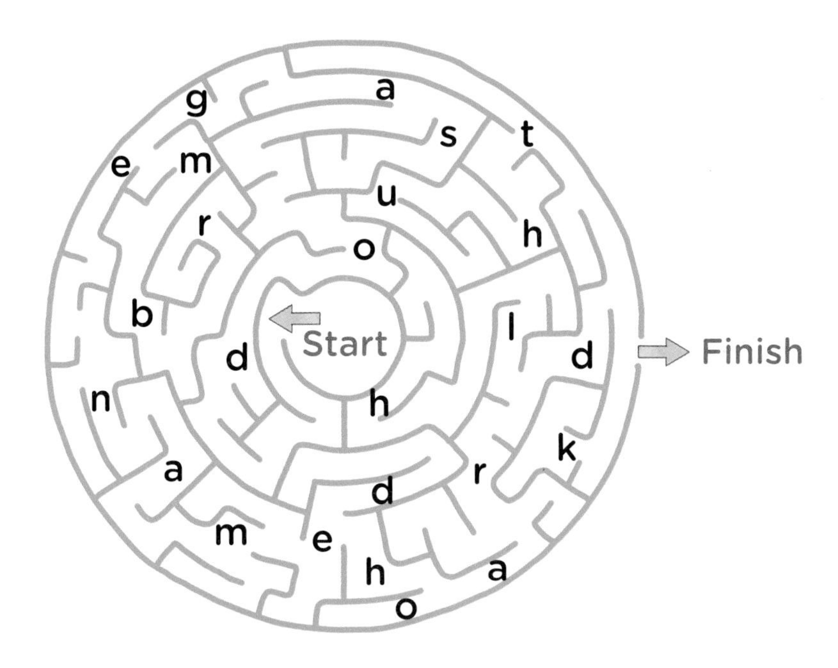

E 문장을 알맞게 표현한 그림에 ✓ 표시 하세요.

1 Don't run, please.

2 Study hard.

Study More Words 3

STEP 1 단어 쓰기

◉ 다음 영어 단어를 써 보세요.

low low

낮은, 낮게

high high

높은, 높이

top top

맨 위, 꼭대기

open open

열다

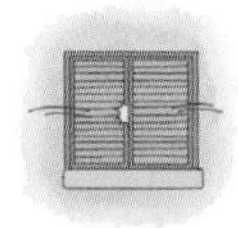

close close

닫다

burn burn

1. 타다 2. 데다

hate hate

싫어하다, 미워하다

start start

시작하다

bite bite

물다

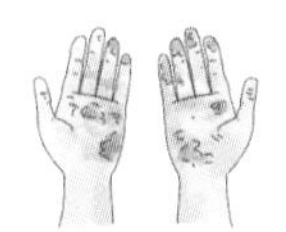

dirty dirty

더러운

다음 필수 문장을 듣고 따라 읽은 후, 문장을 만들어 말해 보세요.

A The mountain is high.
그 산은 높다. (회화필수)

The mountain is ____________.
그 산은 낮다.

The mountain is ____________ing.
그 산은 타고 있다.

B Close the door, please.
문을 닫아 주세요. (교과서)

____________ the door, please.
문을 열어 주세요.

C Your hands are dirty. Go wash your hands.
네 손이 더럽구나. 가서 손을 씻으렴. (교과서)

Your hands are ____________.
네 손이 깨끗하구나.

* clean: 깨끗한

Your hands are ____________.
네 손이 차구나.

Study More Words 3

A

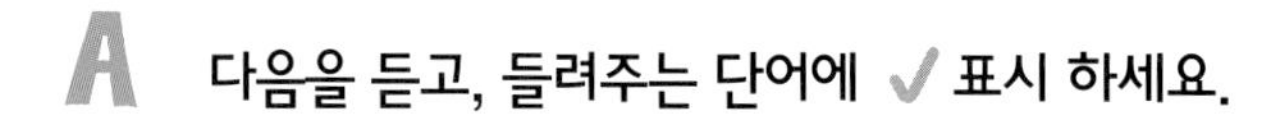

다음을 듣고, 들려주는 단어에 ✓ 표시 하세요.

1

☐ ☐

2

☐ ☐

B

주어진 단어와 뜻이 반대인 단어를 연결하세요.

1

low • • open

2

close • • high

C

그림에 알맞은 단어가 되도록 알파벳을 배열하여 쓰세요.

1

____

2

____

3

____

D 우리말 뜻에 맞게 퍼즐의 빈칸에 알맞은 단어를 쓰세요.

E 그림을 알맞게 표현한 문장에 ✓ 표시 하세요.

1

☐ The mountain is low.

☐ The mountain is high.

2

☐ Close the door, please.

☐ Open the door, please.

Study More Words 4

STEP 1 단어 쓰기

다음 영어 단어를 써 보세요.

week week

주, 일주일

month month

달, 월

year year

1. 해, 년 2. 나이, ~살

new new

새로운

today today

오늘

fire fire

화재, 불

turn turn

돌다, 돌리다

line line

1. 줄, 선 2. 줄을 서다

dark dark

어두운

lie lie

1. 누워 있다 2. 거짓말, 거짓말하다

다음 필수 문장을 듣고 따라 읽은 후, 문장을 만들어 말해 보세요.

A I'll go camping next week. 회화필수

나는 다음 주에 캠핑을 갈 거야.

I'll go camping next ____________.

나는 다음 달에 캠핑을 갈 거야.

I'll go camping next ____________.

나는 다음 해에 캠핑을 갈 거야.

B I'm ten years old. 교과서

나는 열 살이야.

My baby is ten ____________s old.

내 아기는 10개월이야.

C Today is my birthday. 교과서

오늘은 내 생일이다.

____________ is my birthday.

월요일은 내 생일이다.

____________ is my birthday.

내일은 내 생일이다.

* tomorrow: 내일

Study More Words 4

A 다음을 듣고, 들려주는 단어에 ✓ 표시 하세요.

1

2

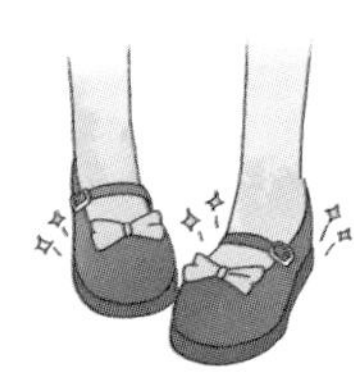

B 달력 그림에서 가리키는 부분에 알맞은 단어를 쓰세요.

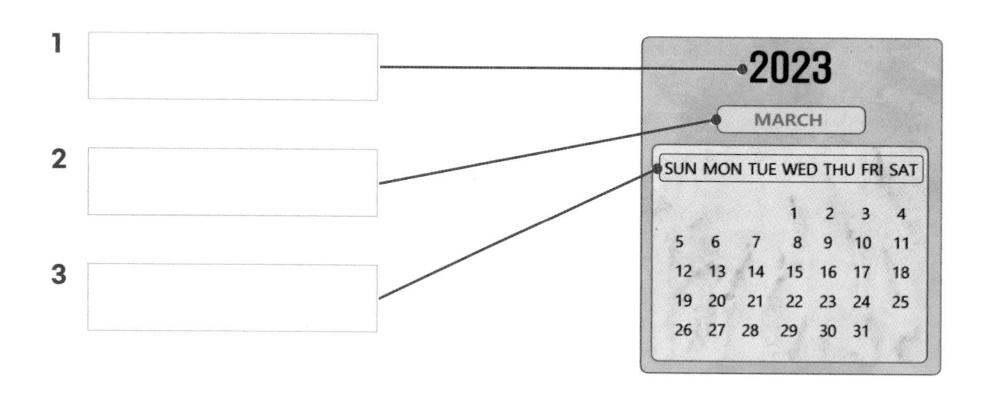

C 그림과 관계되는 단어와 우리말 뜻을 연결하세요.

1	fire	1. 줄, 선 2. 줄을 서다
2	lie	화재, 불
3	line	1. 누워 있다 2. 거짓말, 거짓말하다

D 우리말 뜻에 맞는 단어를 찾아 동그라미 하고 쓰세요.

k	t	u	t	n	d	r
i	o	g	u	c	o	l
s	d	a	r	k	r	d
t	a	a	n	e	w	r
f	y	r	w	r	n	y
m	i	i	l	b	u	u

→ 가로
1 어두운
2 새로운

↓ 세로
3 오늘
4 돌다, 돌리다

1 ____________ 2 ____________ 3 ____________ 4 ____________

E 그림을 알맞게 표현한 문장에 ✓ 표시 하세요.

1

☐ Happy New Year!

☐ Today is my birthday.

2

☐ Line up, please.

☐ Turn left at the corner.

WORKBOOK
정답

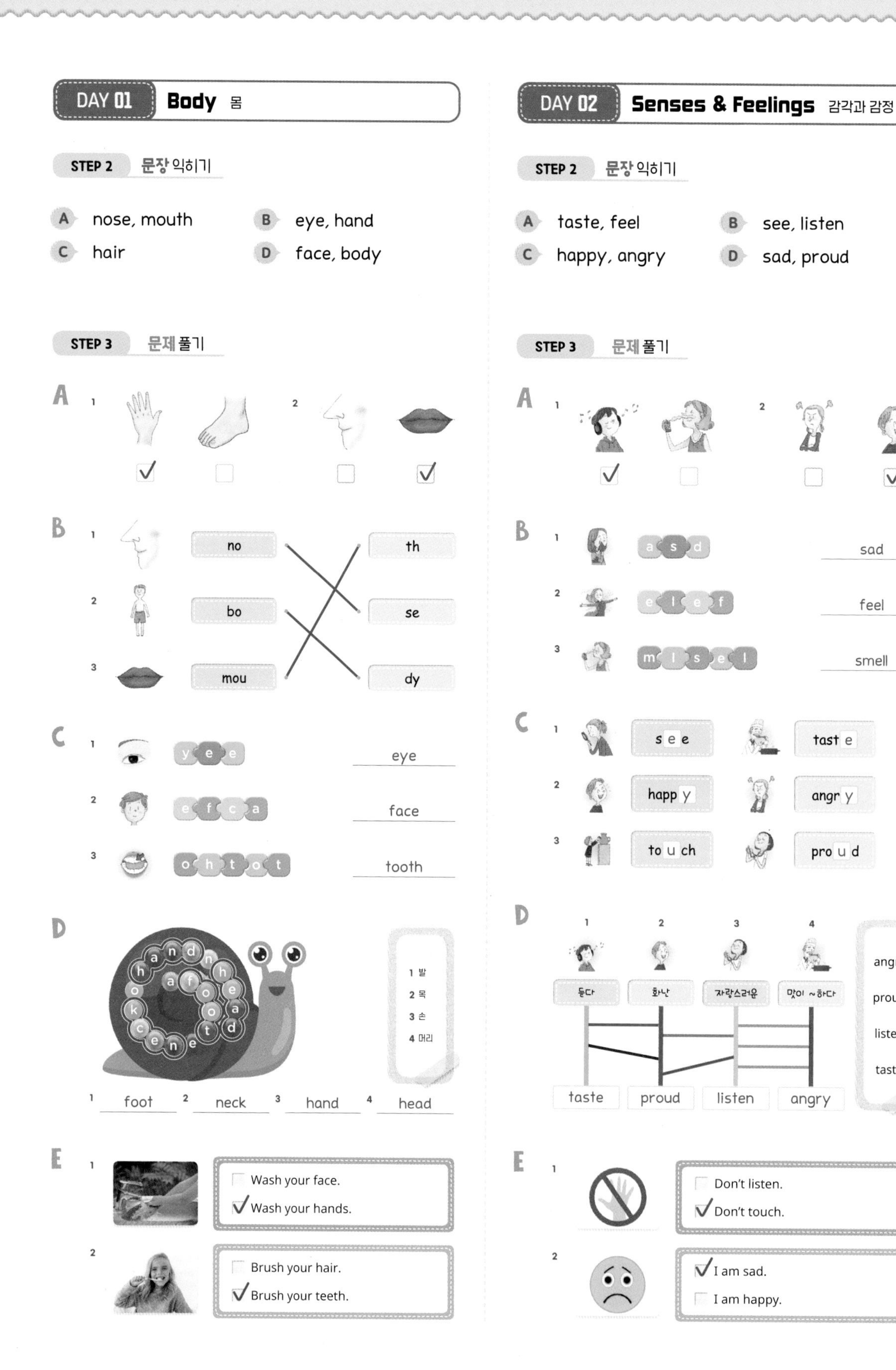

DAY 01 Body 몸

STEP 2 문장 익히기

A nose, mouth
B eye, hand
C hair
D face, body

STEP 3 문제 풀기

A
1 hand ✓, foot
2 nose, mouth ✓

B
1 no – se
2 bo – dy
3 mou – th

C
1 y e e — eye
2 e f c a — face
3 o h t o t — tooth

D
1 발 2 목 3 손 4 머리

1 foot 2 neck 3 hand 4 head

E
1 Wash your face. / ✓ Wash your hands.
2 Brush your hair. / ✓ Brush your teeth.

DAY 02 Senses & Feelings 감각과 감정

STEP 2 문장 익히기

A taste, feel
B see, listen
C happy, angry
D sad, proud

STEP 3 문제 풀기

A
1 ✓, ☐
2 ☐, ✓

B
1 a s d — sad
2 e l e f — feel
3 m l s e l — smell

C
1 see, taste
2 happy, angry
3 touch, proud

D
1 듣다 2 화난 3 자랑스러운 4 맛이 ~하다

angry, proud, listen, taste

1 listen 2 angry 3 proud 4 taste

taste proud listen angry

E
1 Don't listen. / ✓ Don't touch.
2 ✓ I am sad. / I am happy.

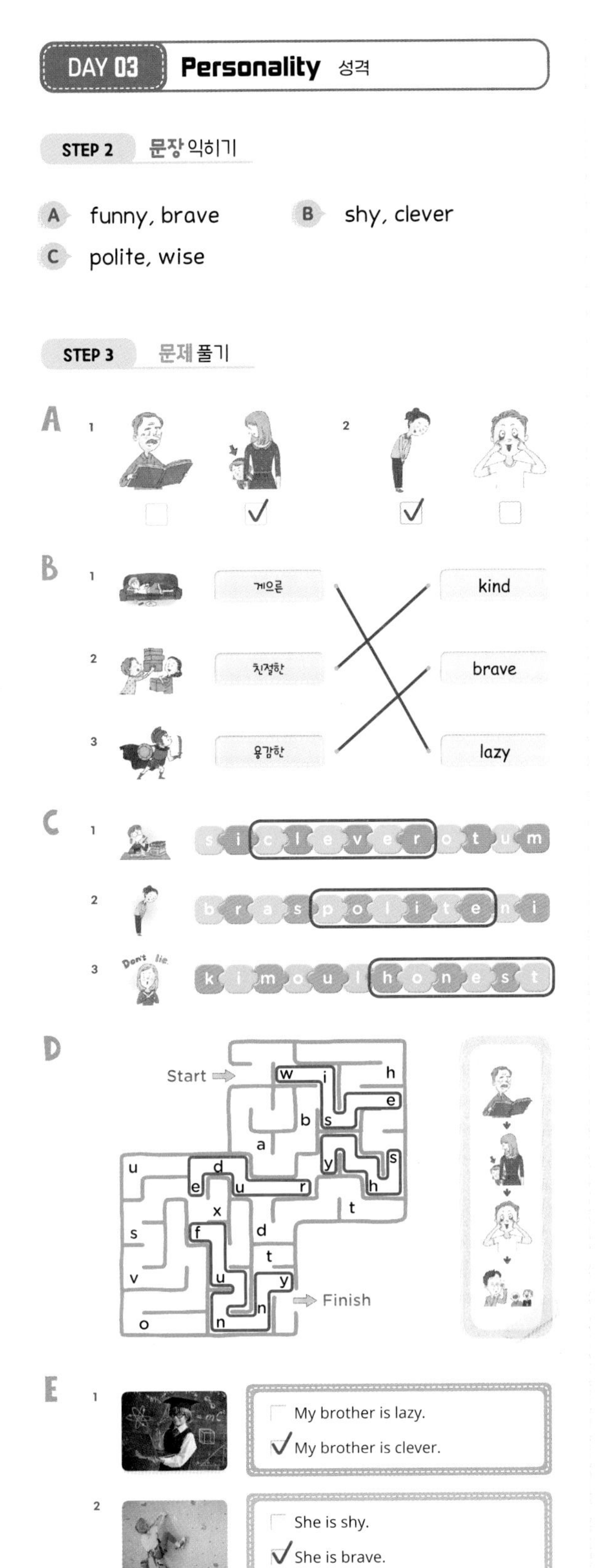
DAY 03 Personality 성격
STEP 2 문장 익히기
A funny, brave
B shy, clever
C polite, wise
STEP 3 문제 풀기
A
B
게으른
친절한
용감한
kind
brave
lazy
C
s i c l e v e r o t u m
b r a s p o l i t e n i
k i m o u l h o n e s t
D
Start
Finish
E
My brother is lazy.
My brother is clever.
She is shy.
She is brave.

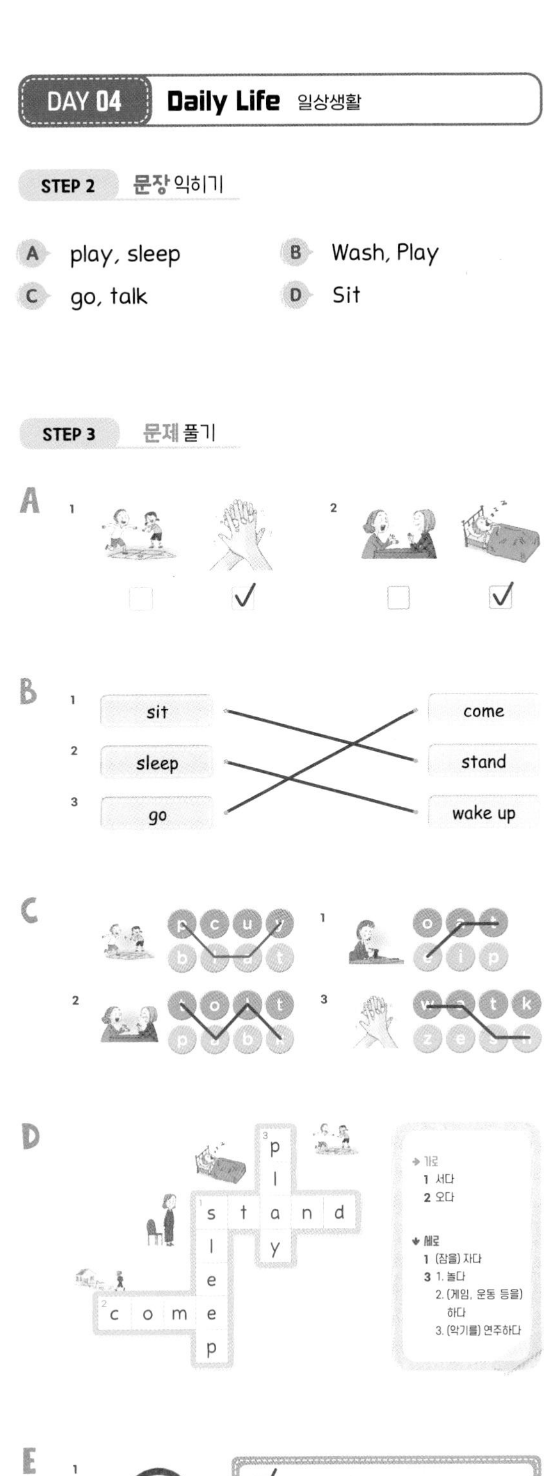
DAY 04 Daily Life 일상생활
STEP 2 문장 익히기
A play, sleep
B Wash, Play
C go, talk
D Sit
STEP 3 문제 풀기
A
B
sit
sleep
go
come
stand
wake up
C
D
→ 가로
1 서다
2 오다
↓ 세로
1 (잠을) 자다
3 1. 놀다
2. (게임, 운동 등을) 하다
3. (악기를) 연주하다

E
Don't eat here.
Don't sleep here.
Wash here.
Come here.

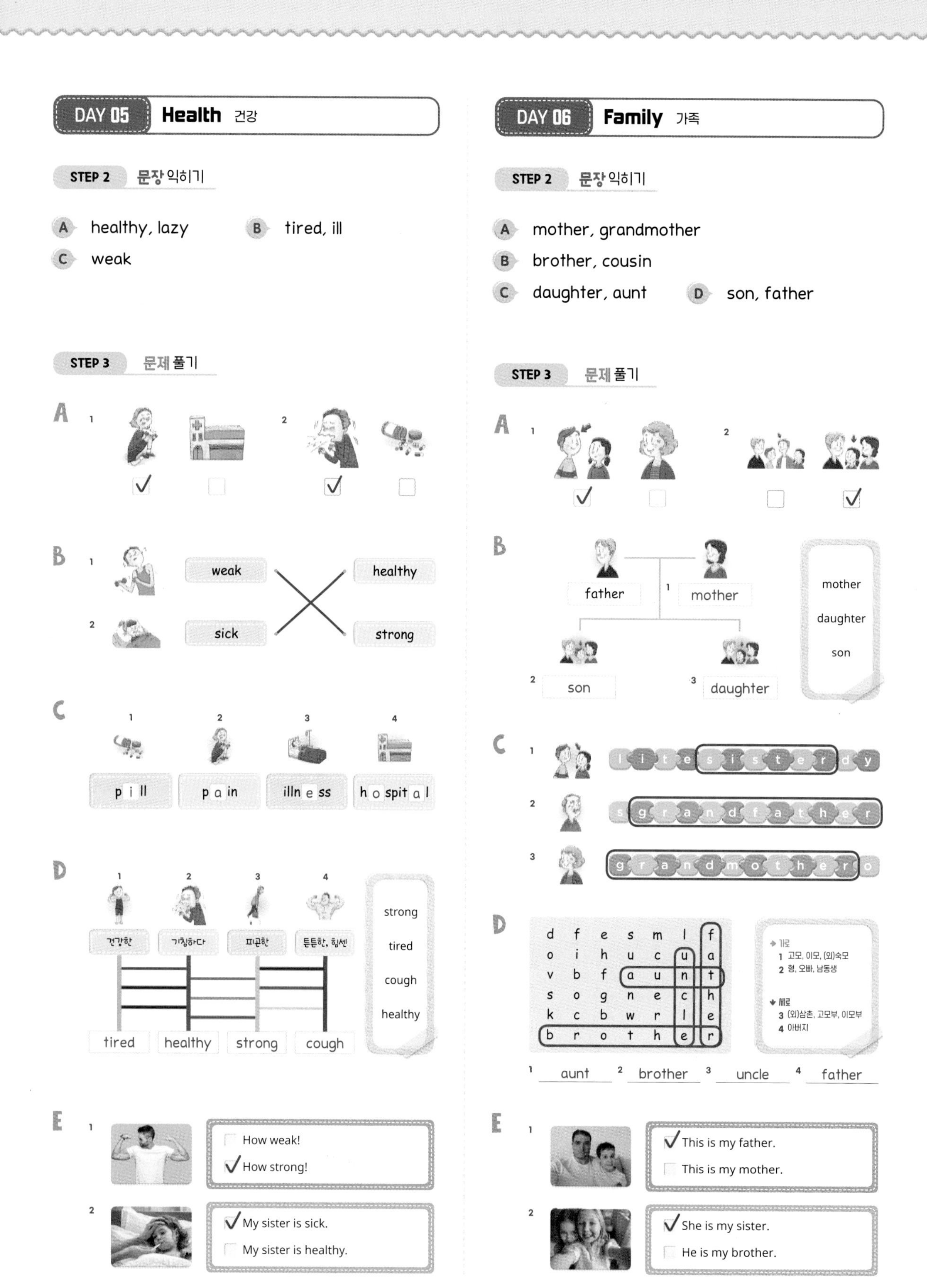

DAY 05 Health 건강

STEP 2 문장 익히기

A healthy, lazy
B tired, ill
C weak

STEP 3 문제 풀기

A
1 ✓ (1st picture)
2 ✓ (1st picture)

B
1 weak — strong
2 sick — healthy

C
1 p i ll
2 p a in
3 illn e ss
4 h o spit a l

D
1 건강한 — healthy
2 기침하다 — cough
3 피곤한 — tired
4 튼튼한, 힘센 — strong

strong / tired / cough / healthy

tired | healthy | strong | cough

E
1 ☐ How weak! ✓ How strong!
2 ✓ My sister is sick. ☐ My sister is healthy.

DAY 06 Family 가족

STEP 2 문장 익히기

A mother, grandmother
B brother, cousin
C daughter, aunt
D son, father

STEP 3 문제 풀기

A
1 ✓ (1st picture)
2 ✓ (2nd picture)

B
father
1 mother
2 son
3 daughter

mother / daughter / son

C
1 l i t e [s i s t e r] d y
2 s [g r a n d f a t h e r]
3 [g r a n d m o t h e r] o

D

d	f	e	s	m	l	f
o	i	h	u	c	u	a
v	b	f	a	u	n	t
s	o	g	n	e	c	h
k	c	b	w	r	l	e
b	r	o	t	h	e	r

→ 가로
1 고모, 이모, (외)숙모
2 형, 오빠, 남동생

↓ 세로
3 (외)삼촌, 고모부, 이모부
4 아버지

1 aunt 2 brother 3 uncle 4 father

E
1 ✓ This is my father. ☐ This is my mother.
2 ✓ She is my sister. ☐ He is my brother.

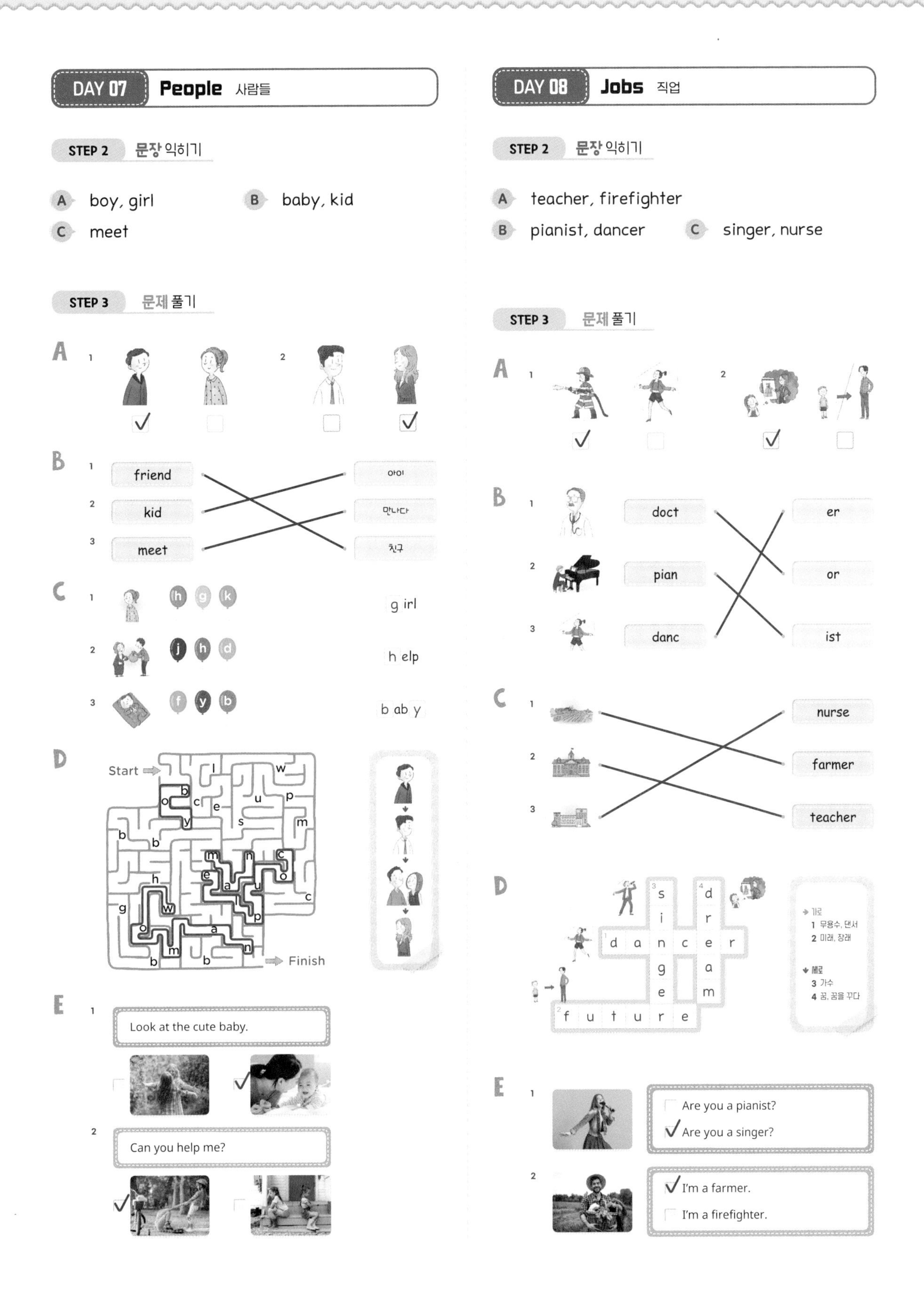

DAY 07 People 사람들

STEP 2 문장 익히기

A boy, girl B baby, kid
C meet

STEP 3 문제 풀기

A 1 ✓ (first picture) 2 ✓ (second picture)

B
1 friend – 친구
2 kid – 아이
3 meet – 만나다

C
1 g irl
2 h elp
3 b ab y

D
Start
Finish

E
1 Look at the cute baby. ✓ (second picture)
2 Can you help me? ✓ (first picture)

DAY 08 Jobs 직업

STEP 2 문장 익히기

A teacher, firefighter
B pianist, dancer C singer, nurse

STEP 3 문제 풀기

A 1 ✓ (first picture) 2 ✓ (first picture)

B
1 doct – or
2 pian – ist
3 danc – er

C
1 – farmer
2 – teacher
3 – nurse

D
1 dancer
2 future
3 singer
4 dream

→ 가로
1 무용수, 댄서
2 미래, 장래

↓ 세로
3 가수
4 꿈, 꿈을 꾸다

E
1 Are you a pianist?
✓ Are you a singer?
2 ✓ I'm a farmer.
I'm a firefighter.

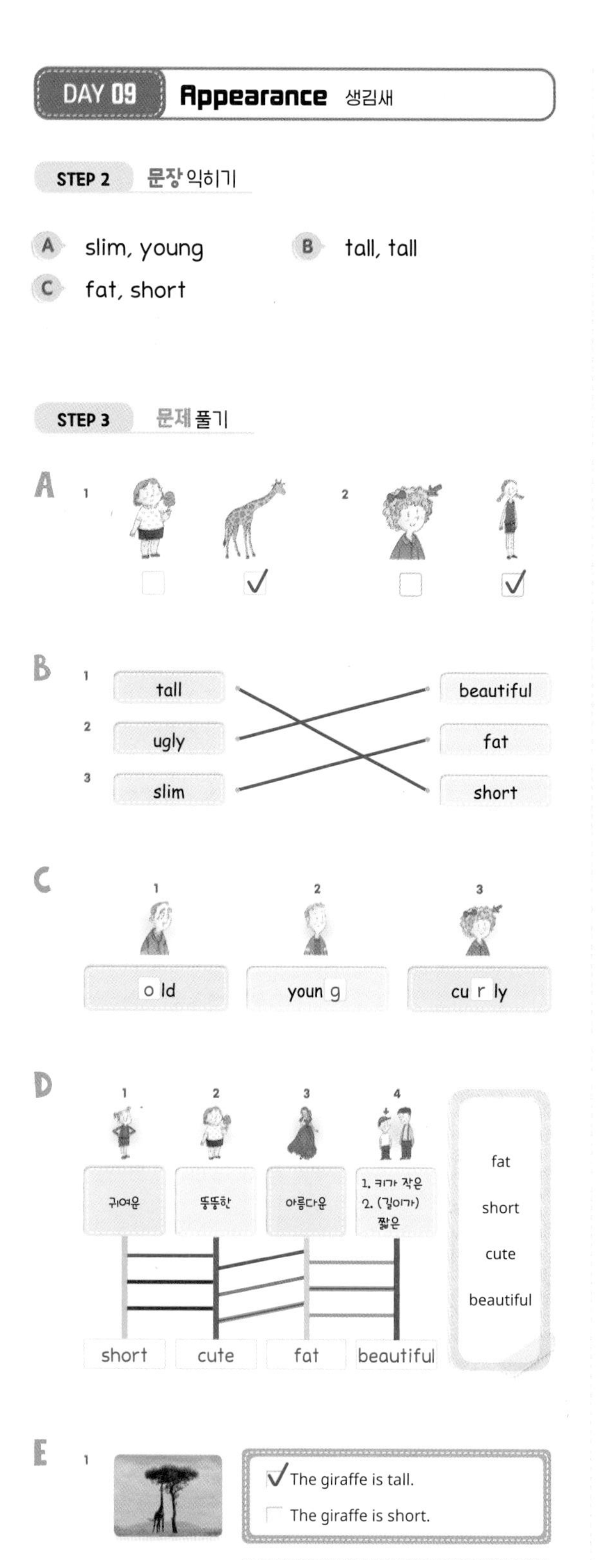
DAY 09 Appearance 생김새
STEP 2 문장 익히기
A slim, young
B tall, tall
C fat, short
STEP 3 문제 풀기
A
B
tall
ugly
slim
beautiful
fat
short
C
o ld
youn g
cu r ly
D
귀여운
뚱뚱한
아름다운
1. 키가 작은
2. (길이가) 짧은
fat
short
cute
beautiful
short
cute
fat
beautiful
E
The giraffe is tall.
The giraffe is short.
The zebra is cute.
The zebra is curly.

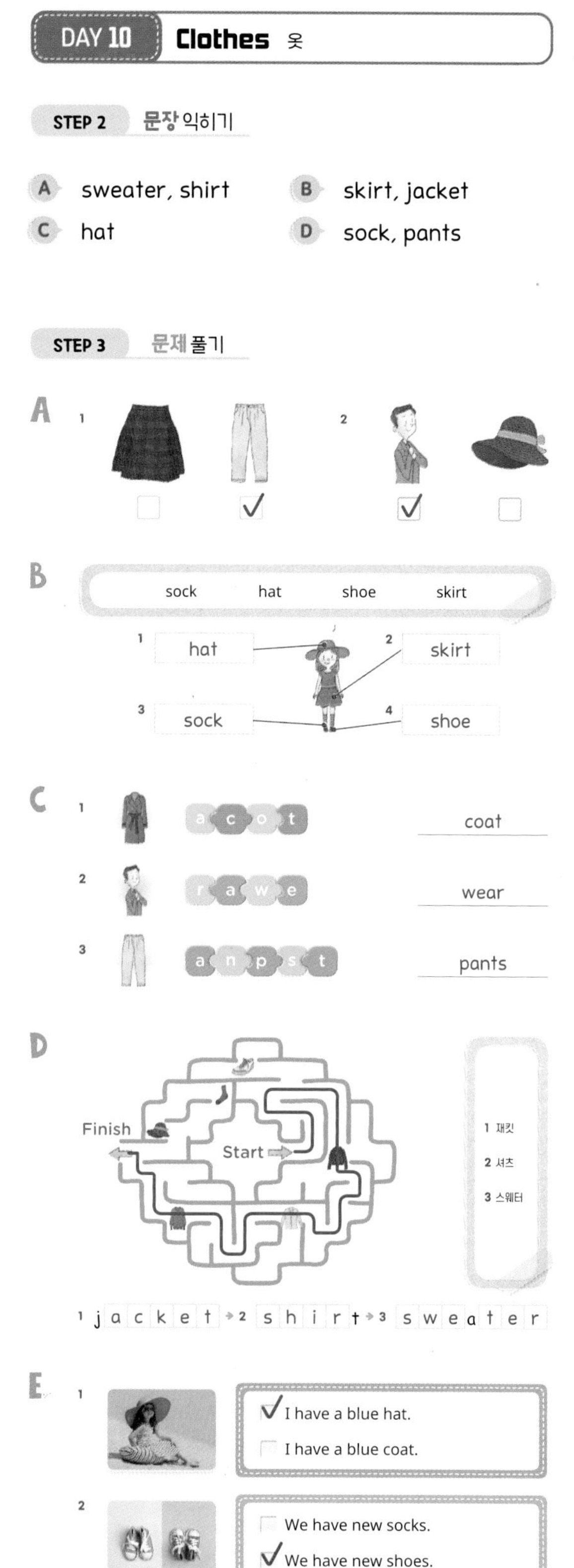
DAY 10 Clothes 옷
STEP 2 문장 익히기
A sweater, shirt
B skirt, jacket
C hat
D sock, pants
STEP 3 문제 풀기
A
B
sock
hat
shoe
skirt
hat
skirt
sock
shoe
C
a c o t
coat
r a w e
wear
a n p s t
pants
D
Finish
Start
1 재킷
2 셔츠
3 스웨터
1 j a c k e t 2 s h i r t 3 s w e a t e r
E
I have a blue hat.
I have a blue coat.
We have new socks.
We have new shoes.

DAY 11 Food 음식

STEP 2 문장 익히기

A bread, cake
B water, food
C egg, banana
D hungry

STEP 3 문제 풀기

A
1 ✓ (bread)
2 ✓

B
1 – egg
2 – apple
3 – cake

C
1 w a ter
2 m i lk
3 dri n k

D
가로 1 full 2 bread
세로 1 food 3 hungry

→ 가로
1 1. 배부른 2. 가득 찬
2 빵
↓ 세로
1 음식
3 배고픈

E
1 ✓ Do you want some bread?
2 ✓ Are you hungry?

DAY 12 Vehicles 탈것

STEP 2 문장 익히기

A train, car
B airplane, ship
C Take, Walk

STEP 3 문제 풀기

A
1 ✓ (train)
2 ✓ (walk)

B
1 – bus
2 – ship
3 – train

C
1 bi – cycle
2 air – plane
3 sub – way

D
1 걷다 – walk
2 1. 멈추다 2. 정류장 – stop
3 자동차, 차 – car
4 1. (교통수단을) 타다 2. (사진을) 찍다 – take

car
walk
take
stop

E
1 ✓ Let's get on the bus.
2 ✓ Take the subway.

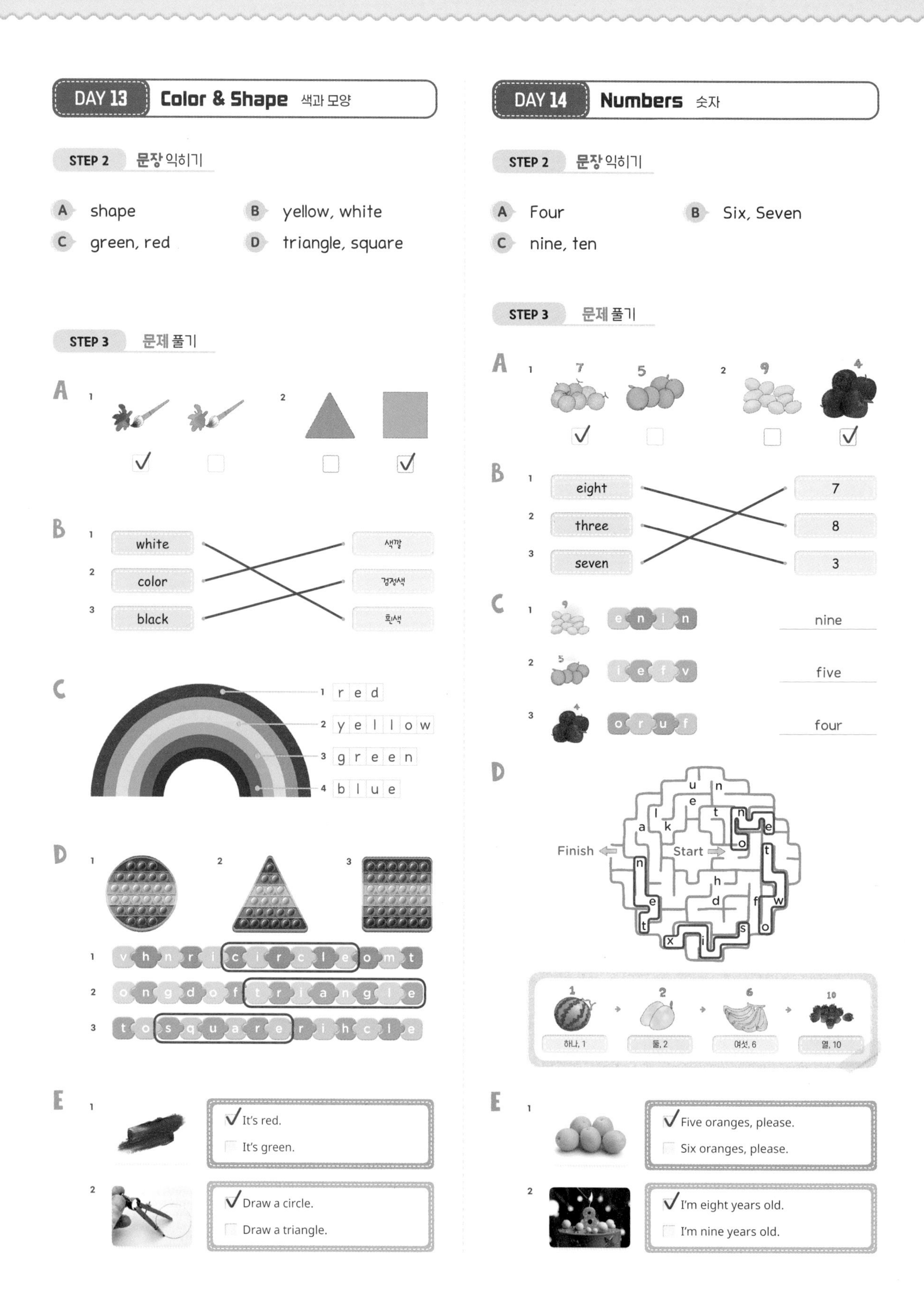
DAY 13 Color & Shape 색과 모양
STEP 2 문장 익히기
A shape
B yellow, white
C green, red
D triangle, square
STEP 3 문제 풀기
A
B
1 white
2 color
3 black
색깔
검정색
흰색
C
1 red
2 yellow
3 green
4 blue
D
1 circle
2 triangle
3 square
E
1 It's red.
It's green.
2 Draw a circle.
Draw a triangle.
DAY 14 Numbers 숫자
STEP 2 문장 익히기
A Four
B Six, Seven
C nine, ten
STEP 3 문제 풀기
A
B
1 eight
2 three
3 seven
7
8
3
C
1 nine
2 five
3 four
D
Finish
Start
1 하나, 1
2 둘, 2
6 여섯, 6
10 열, 10
E
1 Five oranges, please.
Six oranges, please.
2 I'm eight years old.
I'm nine years old.

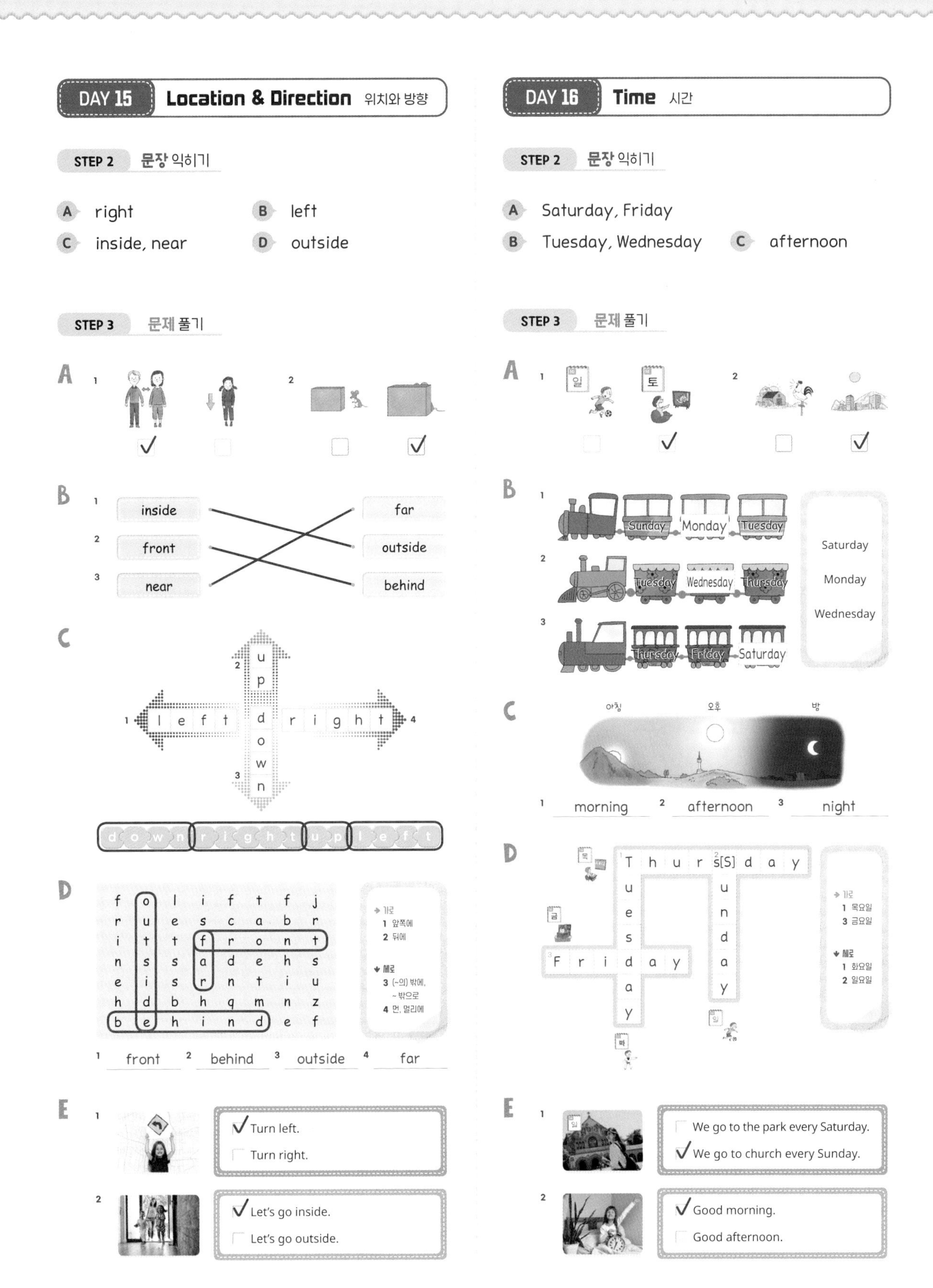

DAY 15 Location & Direction 위치와 방향
STEP 2 문장 익히기
A right
B left
C inside, near
D outside
STEP 3 문제 풀기
A
1
2
B
1 inside
2 front
3 near
far
outside
behind
C
1 left
2 up
3 down
4 right
d o w n r i g h t u p l e f t
D
f o l i f t f j
r u e s c a b r
i t t f r o n t
n s s a d e h s
e i s r n t i u
h d b h q m n z
b e h i n d e f
→ 가로
1 앞쪽에
2 뒤에
↓ 세로
3 (~의) 밖에, ~밖으로
4 먼, 멀리에
1 front
2 behind
3 outside
4 far
E
1
Turn left.
Turn right.
2
Let's go inside.
Let's go outside.
DAY 16 Time 시간
STEP 2 문장 익히기
A Saturday, Friday
B Tuesday, Wednesday
C afternoon
STEP 3 문제 풀기
A
1 일 토
2
B
1 Sunday Monday Tuesday
2 Tuesday Wednesday Thursday
3 Thursday Friday Saturday
Saturday
Monday
Wednesday
C
아침 오후 밤
1 morning
2 afternoon
3 night
D
1 T h u r s[S] d a y
1 T u e s d a y
2 S u n d a y
3 F r i d a y
목
금
일
화
→ 가로
1 목요일
3 금요일
↓ 세로
1 화요일
2 일요일
E
1 일
We go to the park every Saturday.
We go to church every Sunday.
2
Good morning.
Good afternoon.

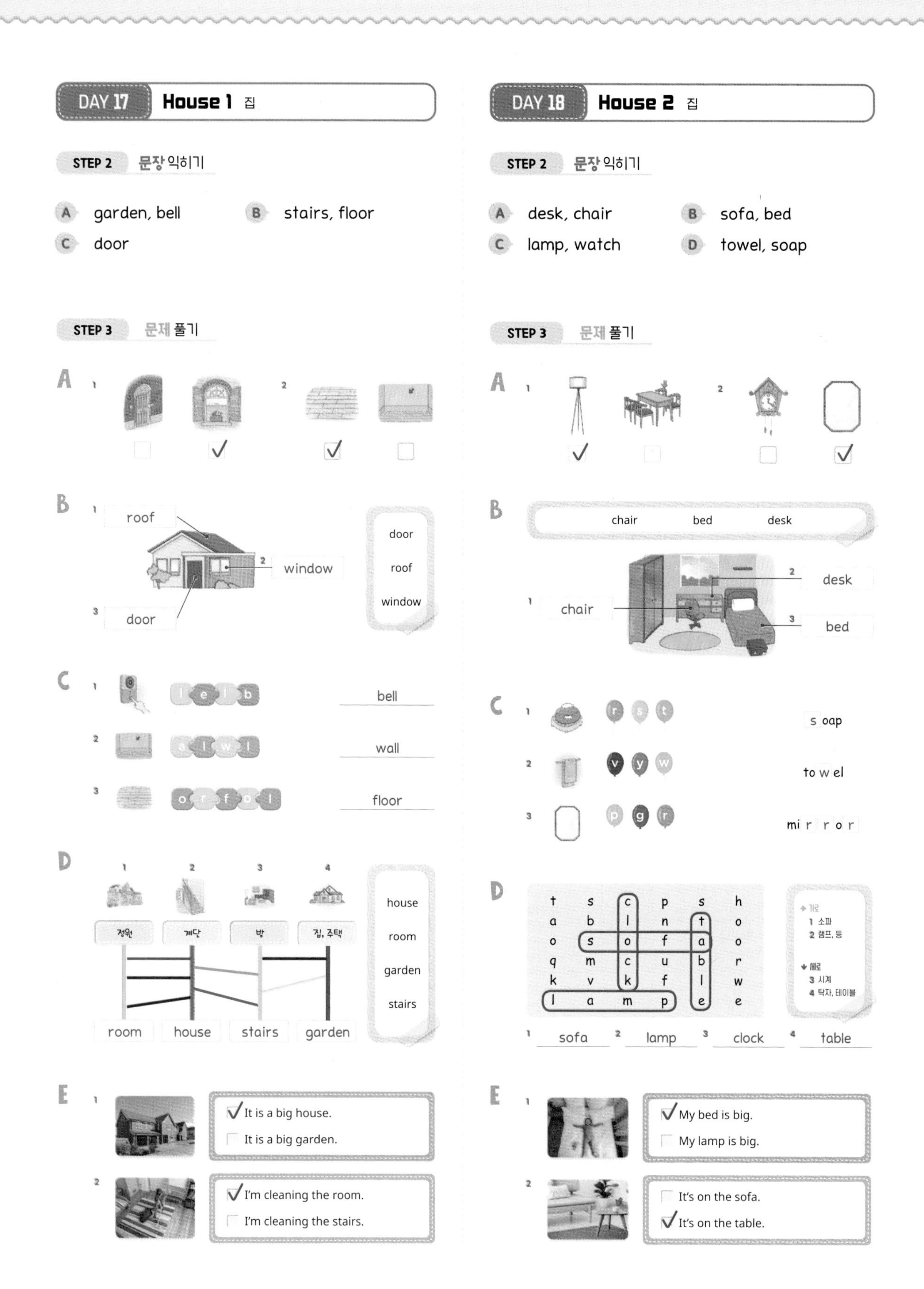

DAY 17 House 1 집
STEP 2 문장 익히기
A garden, bell
B stairs, floor
C door
STEP 3 문제 풀기
A 1 2
B 1 roof
2 window
3 door
door
roof
window
C 1 l e l b bell
2 a l w l wall
3 o r f o l floor
D 1 2 3 4
정원
계단
방
집, 주택
room
house
stairs
garden
house
room
garden
stairs
E 1 It is a big house.
It is a big garden.
2 I'm cleaning the room.
I'm cleaning the stairs.
DAY 18 House 2 집
STEP 2 문장 익히기
A desk, chair
B sofa, bed
C lamp, watch
D towel, soap
STEP 3 문제 풀기
A 1 2
B chair bed desk
1 chair
2 desk
3 bed
C 1 r s t s oap
2 v y w to w el
3 p g r mi r r o r
D t s c p s h
a b l n t o
o s o f a o
q m c u b r
k v k f l w
l a m p e e
→ 가로
1 소파
2 램프, 등
↓ 세로
3 시계
4 탁자, 테이블
1 sofa 2 lamp 3 clock 4 table
E 1 My bed is big.
My lamp is big.
2 It's on the sofa.
It's on the table.

DAY 19 School 1 학교

STEP 2 문장 익히기

A homework, class
B Open, Take
C writer, teacher

STEP 3 문제 풀기

A
1 ✓ (first picture)
2 ✓ (second picture)

B
1 play – ground – 운동장
2 home – work – 숙제
3 class – room – 교실

C
1 class
2 prize
3 student

D

write (1, across)
read (2, down)
study (3, across)
teach (4, down)

→ 가로
1 쓰다
3 공부하다

↓ 세로
2 읽다
4 가르치다

E
1 I have an art class today. ✓ (first picture)
2 She is a student. ✓ (second picture)

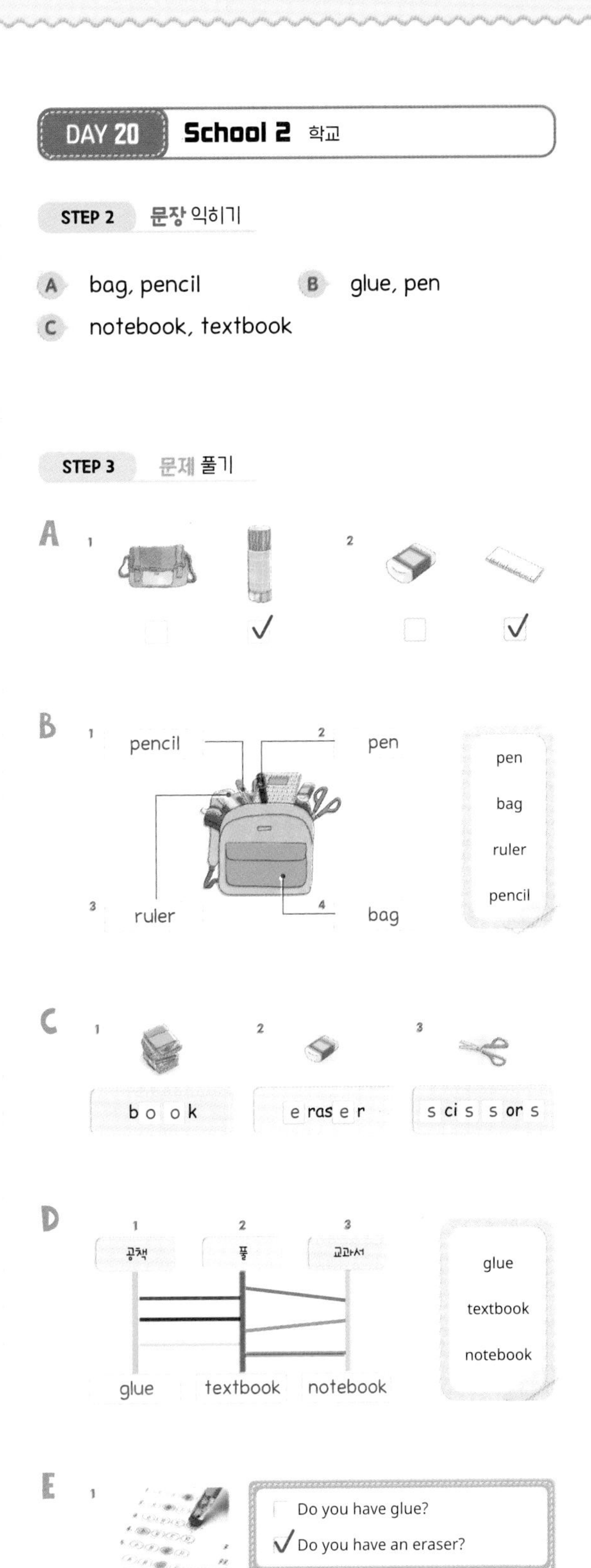

DAY 20 School 2 학교

STEP 2 문장 익히기

A bag, pencil
B glue, pen
C notebook, textbook

STEP 3 문제 풀기

A
1 ✓ (second picture)
2 ✓ (second picture)

B
1 pencil
2 pen
3 ruler
4 bag

pen
bag
ruler
pencil

C
1 book
2 eraser
3 scissors

D
1 공책 – notebook
2 풀 – glue
3 교과서 – textbook

glue
textbook
notebook

E
1 ✓ Do you have an eraser?
Do you have glue?
2 ✓ I have a ruler.
I have a bag.

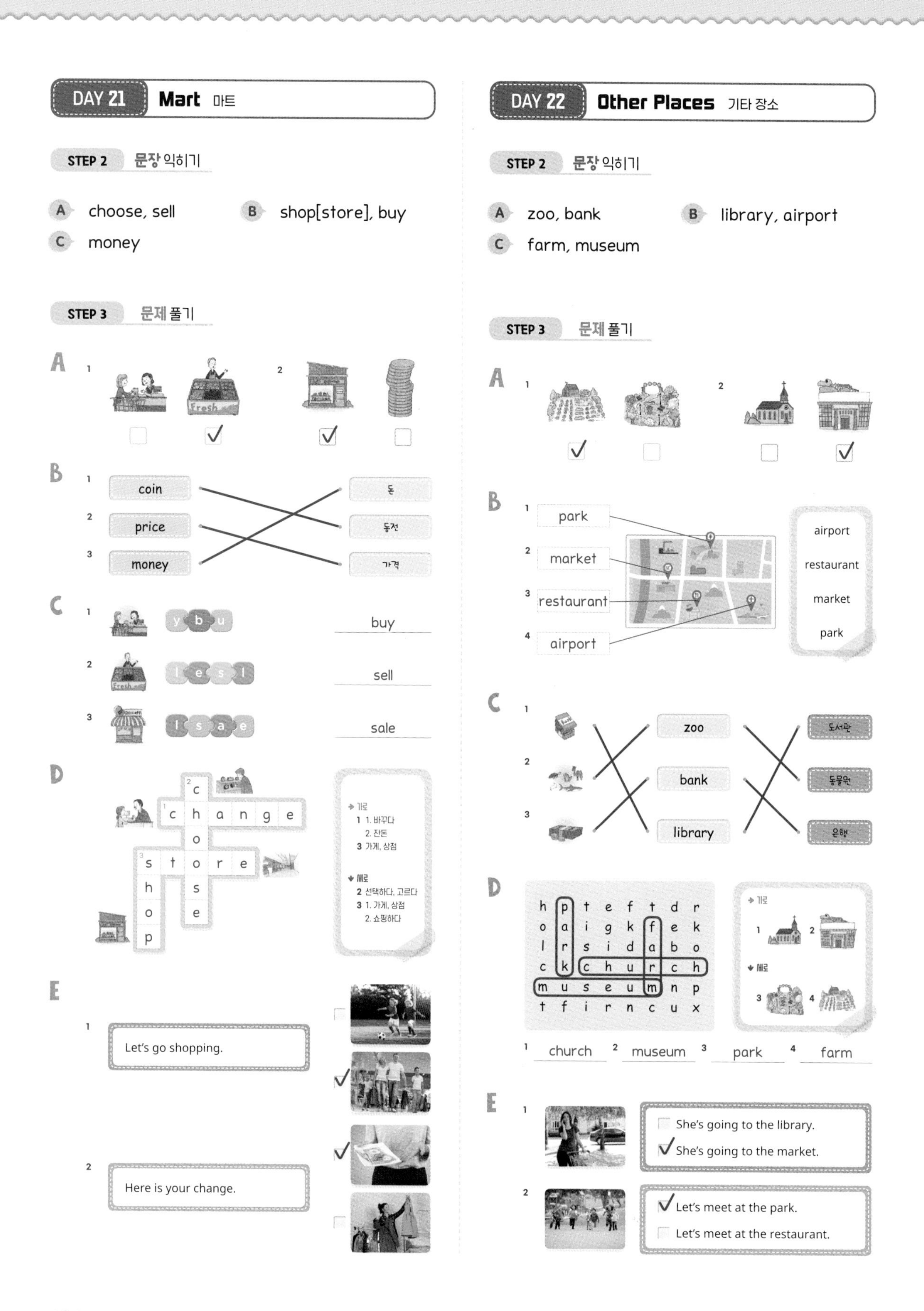

DAY 21 Mart 마트

STEP 2 문장 익히기

A choose, sell
B shop[store], buy
C money

STEP 3 문제 풀기

A
1 ☐ ☑
2 ☑ ☐

B
1 coin – 동전
2 price – 가격
3 money – 돈

C
1 y b u — buy
2 l e s l — sell
3 l s a e — sale

D
가로
1 1. 바꾸다 2. 잔돈 — change
3 가게, 상점 — store

세로
2 선택하다, 고르다 — choose
3 1. 가게, 상점 2. 쇼핑하다 — shop

E
1 Let's go shopping.
2 Here is your change.

DAY 22 Other Places 기타 장소

STEP 2 문장 익히기

A zoo, bank
B library, airport
C farm, museum

STEP 3 문제 풀기

A
1 ☑ ☐
2 ☐ ☑

B
airport, restaurant, market, park
1 park
2 market
3 restaurant
4 airport

C
1 library – 도서관
2 zoo – 동물원
3 bank – 은행

D
h p t e f t d r
o a i g k f e k
l r s i d a b o
c k c h u r c h
m u s e u m n p
t f i r n c u x

가로 1, 2 / 세로 3, 4

1 church 2 museum 3 park 4 farm

E
1 ☐ She's going to the library.
☑ She's going to the market.
2 ☑ Let's meet at the park.
☐ Let's meet at the restaurant.

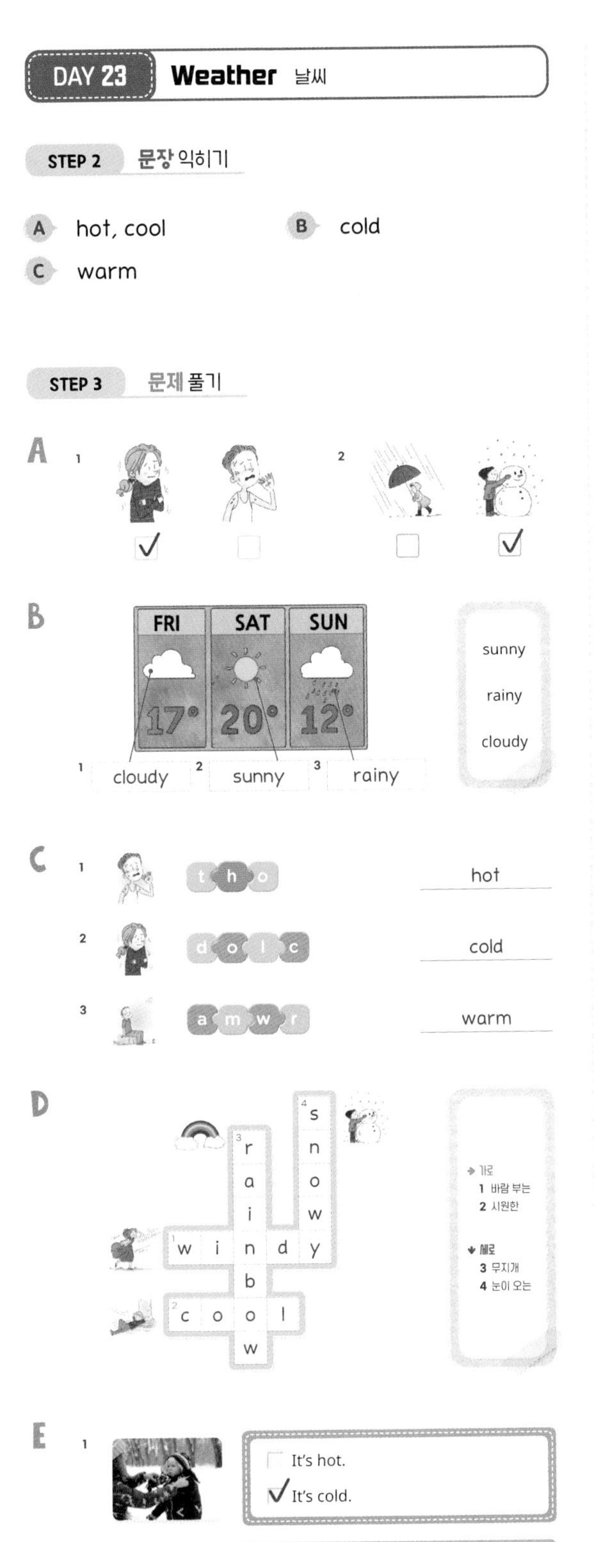

DAY 23 Weather 날씨

STEP 2 문장 익히기

A hot, cool

B cold

C warm

STEP 3 문제 풀기

A

1 ✓ □

2 □ ✓

B

FRI	SAT	SUN
17°	20°	12°

sunny / rainy / cloudy

1 cloudy 2 sunny 3 rainy

C

1 t h o — hot

2 d o l c — cold

3 a m w r — warm

D

→ 가로
1 바람 부는
2 시원한

↓ 세로
3 무지개
4 눈이 오는

1 windy 2 cool 3 rainbow 4 snowy

E

1
- □ It's hot.
- ✓ It's cold.

2
- □ It's windy. Let's play outside.
- ✓ It's sunny. Let's play outside.

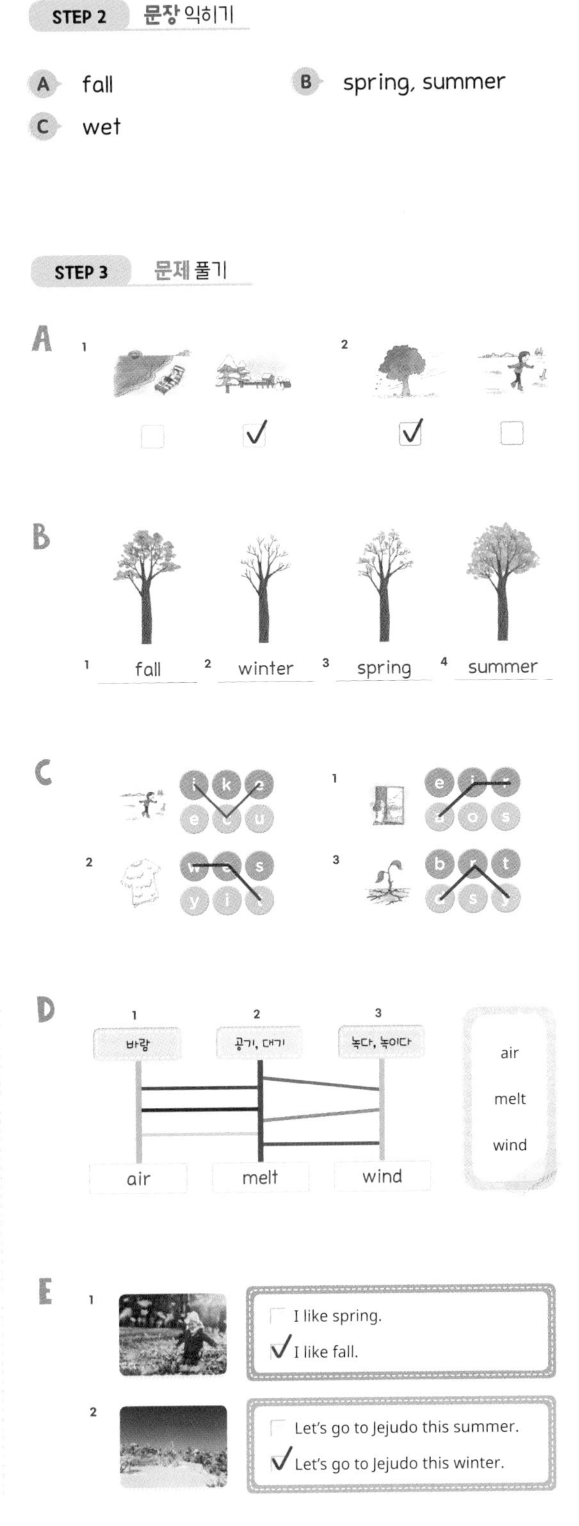

DAY 24 Season 계절

STEP 2 문장 익히기

A fall

B spring, summer

C wet

STEP 3 문제 풀기

A

1 □ ✓

2 ✓ □

B

1 fall 2 winter 3 spring 4 summer

C

1 e f t / u o s

2 w e s / y i t

3 b r t / o s y

D

1 바람 2 공기, 대기 3 녹다, 녹이다

air / melt / wind

E

1
- □ I like spring.
- ✓ I like fall.

2
- □ Let's go to Jejudo this summer.
- ✓ Let's go to Jejudo this winter.

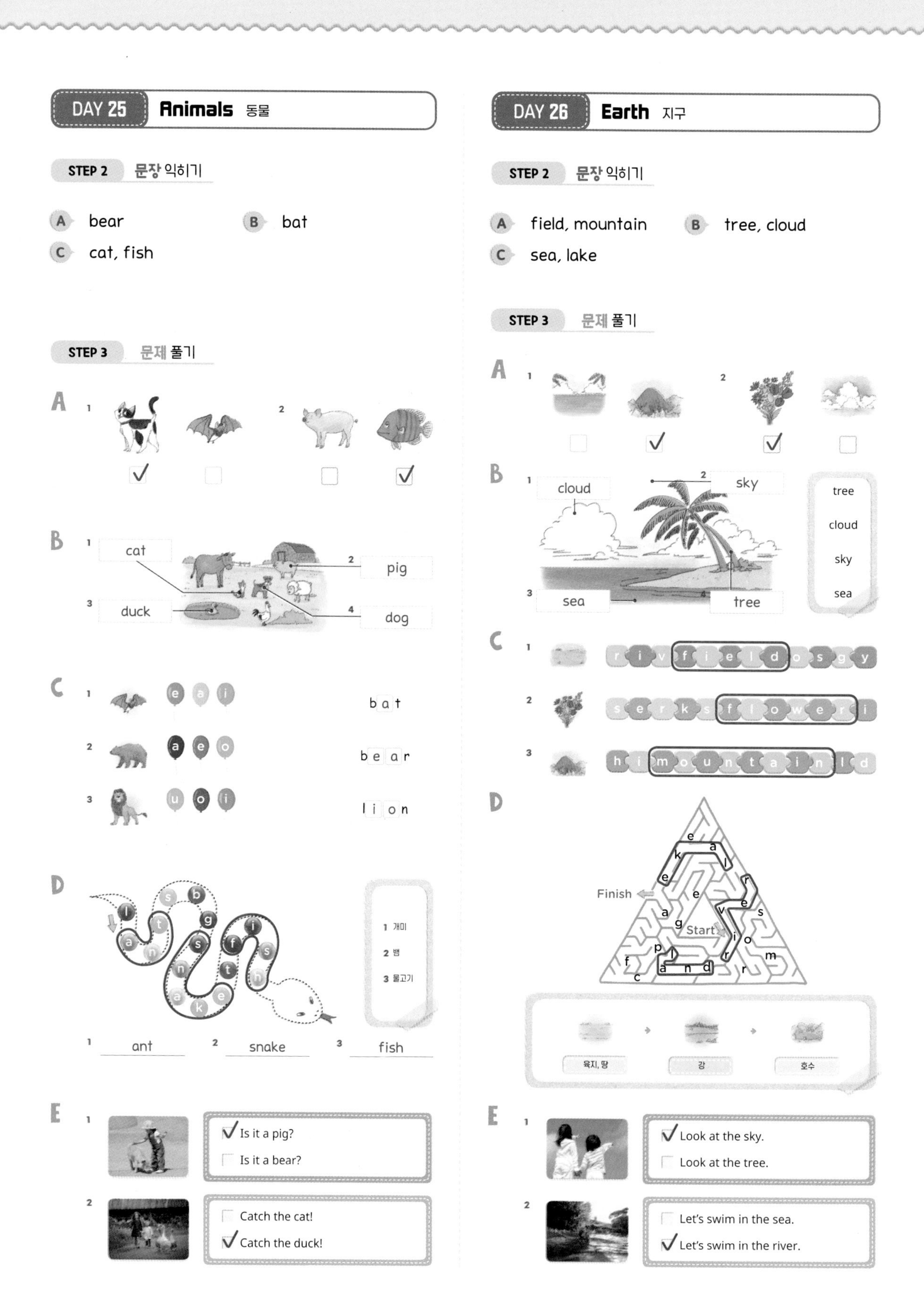
DAY 25 Animals 동물
STEP 2 문장 익히기
A bear
B bat
C cat, fish
STEP 3 문제 풀기
A
1
2
B
1 cat
2 pig
3 duck
4 dog
C
1 b a t
2 b e a r
3 l i o n
D
1 개미
2 뱀
3 물고기
1 ant
2 snake
3 fish
E
1 Is it a pig?
Is it a bear?
2 Catch the cat!
Catch the duck!
DAY 26 Earth 지구
STEP 2 문장 익히기
A field, mountain
B tree, cloud
C sea, lake
STEP 3 문제 풀기
A
1
2
B
1 cloud
2 sky
3 sea
4 tree
tree
cloud
sky
sea
C
1
2
3
D
Finish
Start
육지, 땅
강
호수
E
1 Look at the sky.
Look at the tree.
2 Let's swim in the sea.
Let's swim in the river.

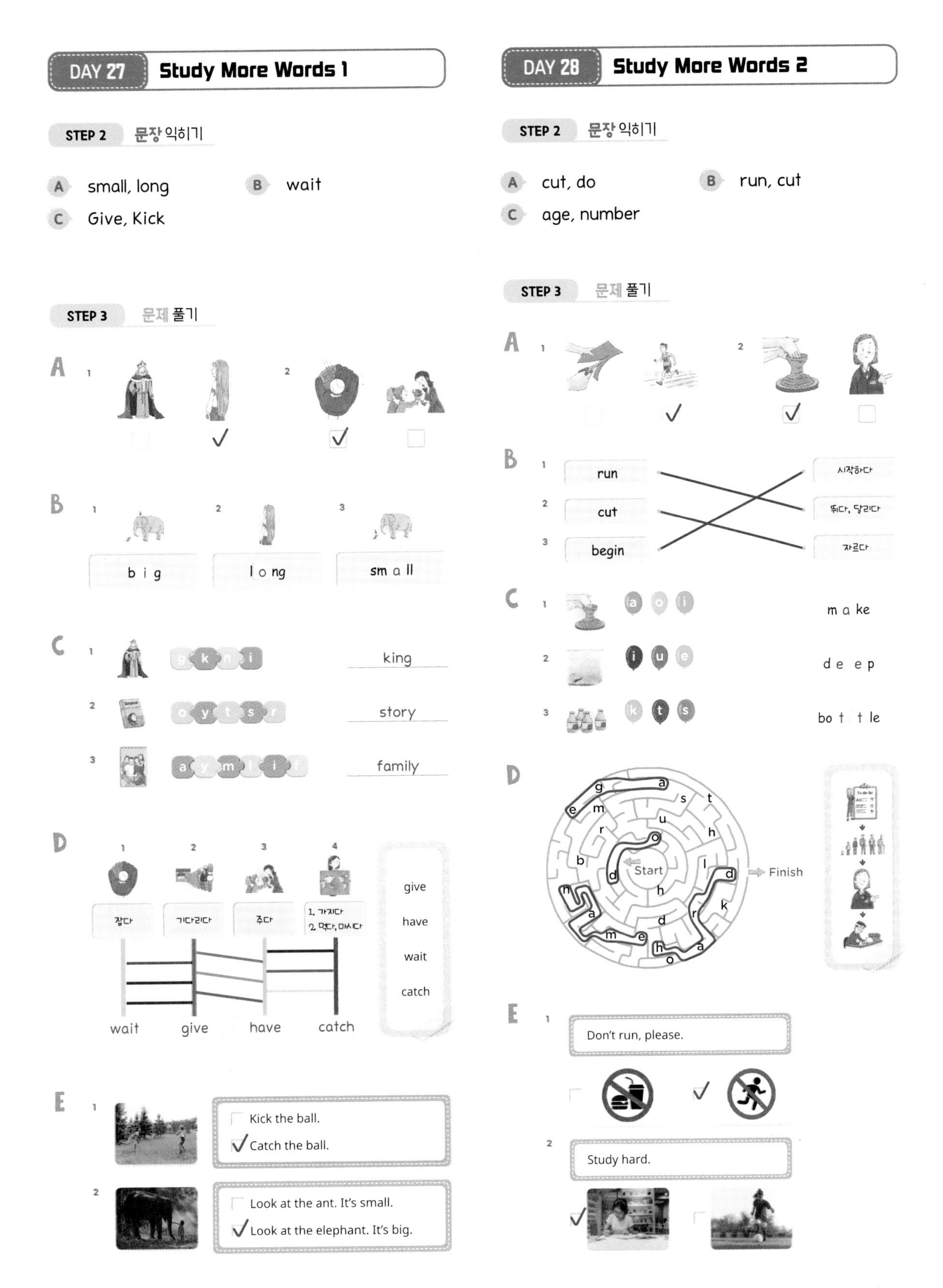
DAY 27 Study More Words 1
STEP 2 문장 익히기
A small, long
B wait
C Give, Kick
STEP 3 문제 풀기
A
B
b i g
l o ng
sm a ll
C
king
story
family
D
잡다
기다리다
주다
1. 가지다 2. 먹다, 마시다
give
have
wait
catch
wait
give
have
catch
E
Kick the ball.
Catch the ball.
Look at the ant. It's small.
Look at the elephant. It's big.
DAY 28 Study More Words 2
STEP 2 문장 익히기
A cut, do
B run, cut
C age, number
STEP 3 문제 풀기
A
B
run
cut
begin
시작하다
뛰다, 달리다
자르다
C
m a ke
d e e p
bo t t le
D
Start
Finish
E
Don't run, please.
Study hard.

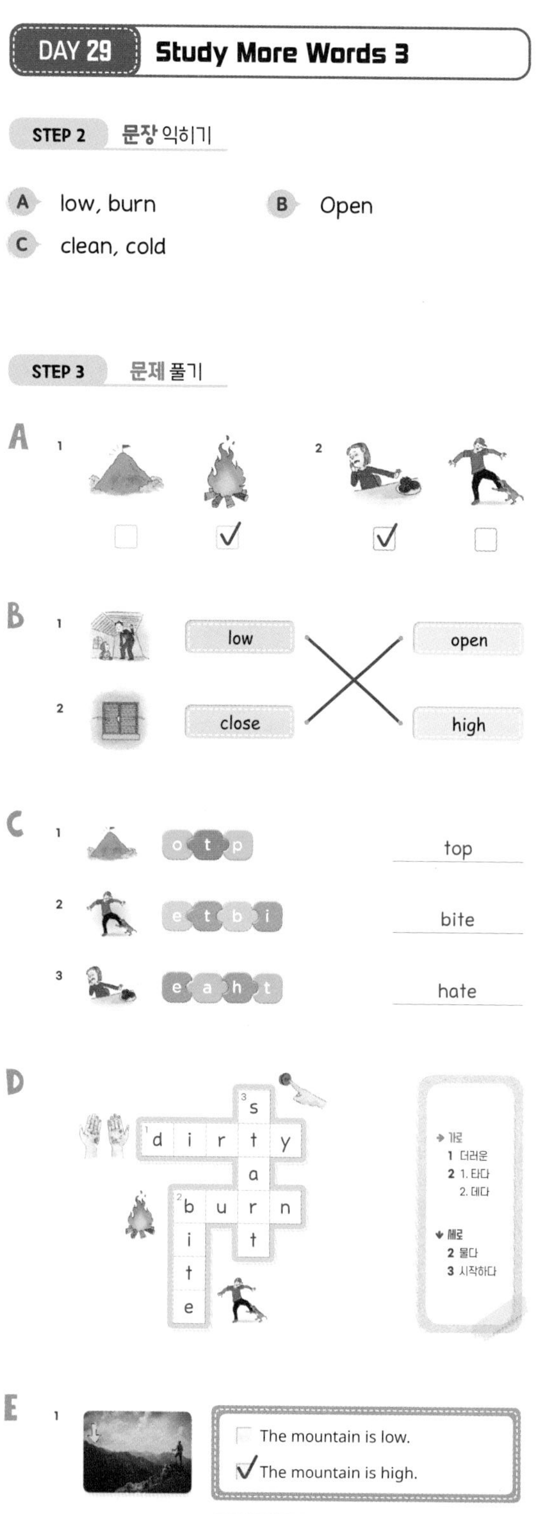

DAY 29 Study More Words 3

STEP 2 문장 익히기

A low, burn
B Open
C clean, cold

STEP 3 문제 풀기

A
1 ☐ ☑
2 ☑ ☐

B
1 low — high
2 close — open

C
1 o t p — top
2 e t b i — bite
3 e a h t — hate

D
가로
1 더러운
2 1. 타다 2. 데다
세로
2 물다
3 시작하다

1 dirty
2 burn
2 bite
3 start

E
1 ☐ The mountain is low.
☑ The mountain is high.
2 ☐ Close the door, please.
☑ Open the door, please.

DAY 30 Study More Words 4

STEP 2 문장 익히기

A month, year
B month
C Monday, Tomorrow

STEP 3 문제 풀기

A
1 ☑ ☐
2 ☐ ☑

B
1 year — 2023
2 month — MARCH
3 week — SUN MON TUE WED THU FRI SAT

C
1 lie — 1. 누워 있다 2. 거짓말, 거짓말하다
2 fire — 화재, 불
3 line — 1. 줄, 선 2. 줄을 서다

D

k	t	u	t	n	d	r
i	o	g	u	c	o	l
s	d	a	r	k	r	d
t	a	a	n	e	w	r
f	y	r	w	r	n	y
m	i	i	l	b	u	u

가로
1 어두운
2 새로운
세로
3 오늘
4 돌다, 돌리다

1 dark 2 new 3 today 4 turn

E
1 ☐ Happy New Year!
☑ Today is my birthday.
2 ☑ Line up, please.
☐ Turn left at the corner.

MEMO

MEMO

MEMO

MEMO

학습앱 으로 단어 암기 효과

업그레이드

워드마스터 학습앱 How To Use

Step. 1 앱 설치 및 회원가입

Step. 2 마이룸에서 학습앱 코드 입력

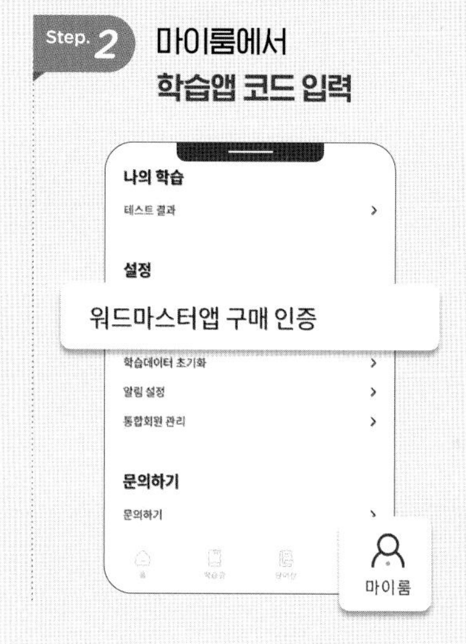

Step. 3 학습관에서 데이터 다운로드

Step. 4 학습관에서 단어/음성 암기부터 TEST까지

Step. 5 단어장에서 헷갈리는 단어 복습

Step. 6 마이룸에서 누적 테스트 결과로 학습 상태 점검

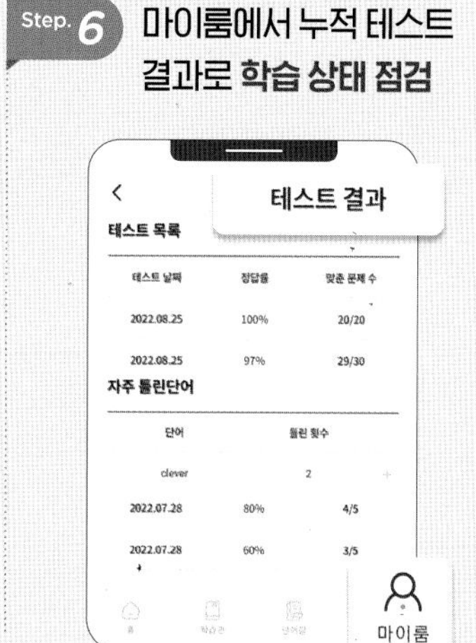